BIONICLE

Les légendes de Metru Nui

BIONICLE®

TROUVE LE POUVOIR,
VIS LA LÉGENDE.

La légende prend vie dans ces livres passionnants de la collection BIONICLE® :

1. Le mystère de Metru Nui
2. L'épreuve du feu
3. Sous la surface des ténèbres
4. Les légendes de Metru Nui

BIONICLE®

Les légendes de Metru Nui

Greg Farshtey

Texte français de Claude Cossette

Éditions
SCHOLASTIC

À Create-TV and Film, Creative Capers et Miramax
pour avoir donné vie aux BIONICLE
en les portant à l'écran.

Catalogage avant publication de Bibliothèque
et Archives Canada

Farshtey, Greg
Les légendes de Metru Nui / Greg Farshtey;
texte français de Claude Cossette.

(BIONICLE)
Traduction de : Legends of Metru Nui.
Pour les jeunes de 9 à 12 ans.
ISBN 0-439-95290-5

I. Cossette, Claude II. Titre. III. Collection.

PZ23.F28Le 2005 j813'.54
C2005-900712-5

Édition publiée par les Éditions Scholastic,
175 Hillmount Road, Markham (Ontario) L6C 1Z7.

5 4 3 2 1 Imprimé au Canada 05 06 07 08

La cité de Metru Nui

BIONICLE®

Les légendes de Metru Nui

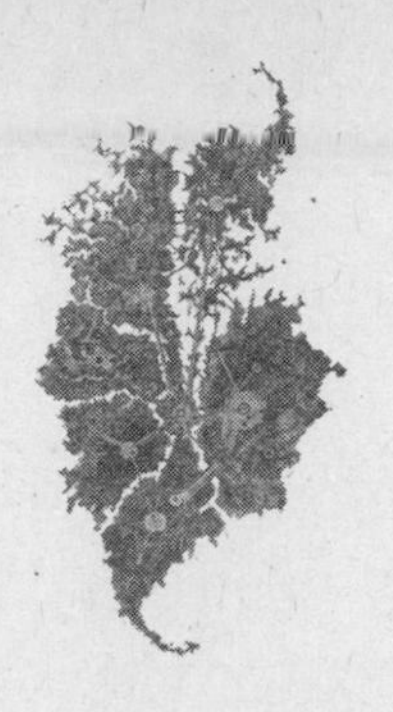

INTRODUCTION

Turaga Vakama avait pris place sur un balcon de pierre naturel surplombant une vaste mer argentée. Juste devant lui se trouvait un Cercle d'Amaja, la sablière qu'utilisaient les Turaga depuis des temps immémoriaux pour raconter les légendes du passé. Entouré des autres Turaga, de Matoran, des six Toa Nuva et de Takanuva, Toa de la lumière, il s'apprêtait à faire le récit de la plus importante de toutes les légendes.

— Chers amis ici rassemblés, commença-t-il, nous allons nous remémorer notre légende des Bionicle. Il y a de cela très longtemps, dans la cité glorieuse de Metru Nui, nous croyions qu'il était impossible de créer de nouveaux héros. Mais nous avions tort.

Vakama posa la pierre représentant Mata Nui, le Grand esprit, au centre du cercle. Les pierres de lumière se mirent alors à vaciller, puis les ténèbres enveloppèrent la sablière.

— Une ombre implacable cherchait à plonger la cité dans un très long sommeil, qu'elle voulait faire durer jusqu'à ce que les souvenirs du passé soient effacés, continua Vakama. Elle voulait ainsi en arriver à créer un règne des ténèbres. Une fois sa tâche accomplie, elle aurait éveillé le monde en se posant en conquérante.

Vakama leva les yeux au ciel en se rappelant ce passé très lointain.

— Tout espoir semblait perdu.

Toa Lhikan, gardien de la cité de Metru Nui, se tenait dans la pénombre, à l'intérieur du Grand temple. Il s'était souvent réfugié ici par le passé pour se remémorer les temps disparus et réfléchir à l'avenir. Cet endroit avait toujours apaisé son esprit… mais pas aujourd'hui.

La mission qui l'avait amené dans l'un des lieux les plus vénérés de Metru Nui le remplissait de tristesse et de doute. Le Toa avait passé plus d'une nuit à se demander si un autre moyen existait, mais aucun ne s'était présenté à son esprit. Finalement, il avait dû admettre qu'il n'avait pas le choix. Il fallait qu'il accomplisse sa tâche maintenant, avant qu'il soit trop tard.

Résolument, Toa Lhikan ouvrit la châsse suva et, plongeant la main à l'intérieur, il retira la sixième et dernière pierre Toa de son piédestal.

Comme il l'avait fait cinq fois auparavant, Toa Lhikan plaça la pierre sur une mince feuille de protodermis métallique, dans la paume de sa main. Puis il serra le poing, pressant fermement la feuille autour de la pierre.

Derrière son Grand masque de protection jaune, Lhikan plissa les yeux. Il savait qu'en prenant ces précieux objets de pouvoir, il posait un geste lourd de conséquences et faisait un pas qui changerait sa vie, celle de six autres et l'avenir même de Metru Nui.

Mettant son autre main au-dessus de son poing fermé, il se concentra. Six rayons d'énergie jaillirent de sa main pour former un seul jet de pouvoir blanc qui recouvrit la pierre Toa enveloppée. Puis tout cessa brusquement. Quand Lhikan ouvrit la main, il vit que la feuille métallique était maintenant scellée autour de la pierre. Le symbole des trois vertus des Matoran – Unité, Devoir, Destinée – était gravé dessus.

Soudain, Lhikan entendit un léger son derrière lui et se retourna vivement. Sortant des ténèbres, deux silhouettes approchaient : l'une, une créature à quatre pattes ressemblant à un insecte, et la seconde, une imposante brute. Lhikan savait trop bien qui étaient ces créatures et pourquoi elles se trouvaient en ce lieu. Aussi, quand la créature insectoïde se mit à lancer des jets d'énergie, le Toa battait-il déjà en retraite.

Fuir n'était pas dans la nature de Lhikan, mais il avait été un Toa assez longtemps pour savoir qu'il ne servait à rien de se mesurer à l'impossible. Il courait en faisant de brusques détours pour empêcher les deux Chasseurs de l'ombre de l'emprisonner dans des toiles d'énergie. Au moment où ils allaient le rattraper, le Toa du feu sauta par une fenêtre et plongea dans l'espace.

Le Chasseur de l'ombre insectoïde se précipita à la fenêtre pour regarder son ennemi tomber. Mais il vit que Lhikan avait combiné ses outils pour former un planeur. En quelques secondes, le Toa disparut.

Nokama marchait près du Grand temple, entourée de ses élèves. En sa qualité de professeure, elle savait qu'il était important de les sortir de la classe de temps à autre pour leur permettre de voir, de leurs propres yeux, un peu de l'histoire de Metru Nui. Elle se servait de son trident pour désigner des sculptures anciennes sur les murs.

Tout à coup, elle entendit des étudiants s'exclamer derrière elle. Se retournant, elle aperçut Toa Lhikan. Il s'approcha d'elle, lui remit un petit paquet et repartit aussitôt. Nokama secoua la tête en se demandant ce que tout cela pouvait bien signifier.

Dans un village d'artisans-constructeurs de Po-Metru, Onewa travaillait avec ardeur pour terminer une sculpture. Il avait peiné toute la journée dans la chaleur, sans vraiment remarquer le temps qui s'écoulait ni les efforts qu'il déployait. Il éprouvait toujours une grande satisfaction, une fois le travail achevé. Une autre belle démonstration de ses talents était alors prête à être expédiée. Onewa savait que chaque artisan Po-Matoran qui œuvrait dans les huttes tout autour partageait ce sentiment, à l'exception peut-être d'Ahkmou. Ce dernier semblait se soucier davantage des honneurs récoltés que du nombre d'œuvres achevées.

Soudain, quelque chose tomba aux pieds d'Onewa avec un bruit sourd. C'était un petit paquet emballé dans une sorte de papier métallique. Onewa leva les yeux juste à temps pour apercevoir la forme de Toa Lhikan qui s'éloignait.

Whenua était très heureux. Une nouvelle livraison de Bohrok venait d'arriver aux Archives. Aussitôt qu'il aurait fini de les cataloguer, on les exposerait afin que tous les Matoran puissent les voir.

Pour le moment, il travaillait rapidement, triant les articles d'une pile d'artefacts. Certains allaient être exposés immédiatement et d'autres seraient envoyés dans les souterrains. D'autres encore, beaucoup trop endommagés pour servir à quoi que ce soit, seraient expédiés à Ta-Metru, où on les ferait fondre.

Tout absorbé dans son travail, Whenua n'entendit pas Toa Lhikan approcher. Ce dernier ne s'arrêta que le temps de remettre au Matoran un petit paquet. Whenua regarda avec étonnement le paquet, dont l'emballage scintillait, même dans la faible lumière des Archives.

Matau prit une profonde inspiration. Cette tâche était sa préférée : faire l'essai des nouveaux véhicules avant qu'ils soient mis en circulation dans les rues de Le-Metru. Il était évidemment la personne la mieux qualifiée pour les conduire sur la piste d'essai, car il était le conducteur le plus compétent de tout le metru... du moins, c'était son avis.

Le véhicule à tester aujourd'hui était une luge motorisée monoplace inventée par un Onu-Matoran appelé Nuparu. Selon ce dernier, le véhicule allait remplacer un jour les crabes Ussal qui assuraient le transport des marchandises dans Metru-Nui. Matau ne s'intéressait pas tant à cet aspect qu'à la vitesse que le véhicule pourrait atteindre.

Quand on lui donna le signal, Matau actionna les commandes et la machine s'ébranla. Bientôt, elle filait à vive allure sur la piste d'essai. Matau souriait, certain de pouvoir pousser la machine de Nuparu à aller encore un peu plus vite. Il allongea le bras et saisit l'un des leviers… mais celui-ci se brisa entre ses doigts.

Matau écarquilla les yeux. *Ho! ho! Ça, ce n'est pas drôle-amusant du tout,* se dit-il.

Le véhicule se mit à tournoyer follement tandis que ses pièces s'envolaient tout autour du conducteur. Bientôt, il ne resta plus que le siège de commande… et Matau qui s'y agrippait pour ne pas être projeté jusqu'à l'autre bout de la piste. Lorsque la seule section intacte s'arrêta en dérapant, des étincelles en jaillirent. Matau s'empressa de sauter du véhicule.

Le Matoran réussit à atterrir en un morceau. Quand il se remit sur pied, il remarqua qu'il n'était plus seul. Toa Lhikan se tenait à ses côtés, lui tendant un cadeau. Puis le Toa s'éclipsa.

Matau jeta un regard sur le petit objet lourd dans le creux de sa main. *Une journée vraiment bizarre-étrange,* se dit-il.

Nuju scrutait le ciel au moyen de son télescope. De sa position avantageuse, tout en haut d'une tour de Ko-Metru, il pouvait voir le ciel, les étoiles, Toa Lhikan planant vers lui…

Toa Lhikan?

L'unique protecteur de Metru-Nui posa doucement son planeur à côté du Matoran. Sans un mot, il tendit à Nuju une pierre Toa emballée. Puis, s'étant assuré que le champ était libre, il sauta du toit et s'éloigna en surfant sur le vent.

Nuju le regarda s'en aller en se demandant ce que cet événement signifiait pour son avenir.

Vakama prit un disque Kanoka sur sa table de travail avec précaution et le plaça dans les feux de la forge. Il fixa les flammes, qui ramollissaient peu à peu le disque. Quand il sentit que le moment était venu, il retira le disque et se mit à le façonner avec son sceptre de feu. Il en lissa les rebords rugueux, ajouta deux ouvertures pour les yeux, puis s'arrêta pour regarder le Masque de puissance qu'il venait de créer.

Loin en contrebas, une grande cuve de protodermis en fusion bouillonnait et chuintait. C'était la matière brute qui alimentait la forge et dont on fabriquait des disques et, plus tard, des masques, si la puissance du disque était assez élevée. Tout autour courait un circuit de passerelles qui s'emboîtaient, et au-dessus du centre de la cuve en fusion était suspendue une énorme grue.

Vakama souleva le masque devant la lumière pour

y chercher des erreurs de fabrication. N'en trouvant aucune, il le plaça sur son visage. Comme il s'agissait d'un Grand masque, Vakama savait qu'il serait incapable d'avoir accès à ses pouvoirs, mais il pourrait au moins sentir s'ils étaient actifs. Une fois posé sur son visage, le masque brilla à peine, puis s'éteignit aussitôt.

Dégoûté, Vakama le retira et le lança sur une énorme pile de masques semblables. À ce rythme-là, sa pile de ratés serait bientôt plus haute que lui. Secouant la tête, il se retourna... et c'est alors qu'il aperçut Toa Lhikan.

— Tu fabriques des Grands masques? demanda le Toa.

Vakama recula d'un pas et trébucha.

— Toa Lhikan! s'exclama-t-il. Hum… pas encore… mais avec le bon disque…

— La cité a besoin de ton aide, dit Lhikan en allongeant le bras derrière lui pour récupérer quelque chose.

Un moment plus tard, Vakama vit qu'il s'agissait d'un petit paquet emballé dans une sorte de papier lustré.

— De mon aide? s'étonna le Matoran en reculant d'un autre pas.

Ce faisant, il heurta la pile de rejets, et les masques

tombèrent sur le sol avec fracas.

— Des Matoran disparaissent, continua Lhikan d'un ton urgent. La tromperie nous guette dans les ombres de Metru Nui.

— Toa... toujours aussi tragique.

Au son de cette voix sifflante, Lhikan et Vakama se retournèrent. Une gigantesque créature insectoïde à quatre pattes se tenait près de la forge.

— Toujours à jouer les héros, ajouta-t-elle.

— Certains d'entre nous prennent leur devoir au sérieux, Nidhiki, grommela Lhikan.

Puis il se tourna de nouveau vers Vakama, montra le paquet et murmura :

— Surtout, garde cela en sécurité. Rends-toi au Grand temple.

— Cette fois, tu feras tes adieux pour toujours, mon frère, fit Nidhiki en levant ses griffes.

— Il y a longtemps que tu as perdu le droit de m'appeler « frère », lança Lhikan.

Nidhiki cracha des jets d'énergie sombre. Lhikan les esquiva de justesse, mais l'un des jets frappa le support de la passerelle et le fendit. Le Toa réfléchissait à sa prochaine manœuvre quand il entendit un grand bruit au-dessus de sa tête. Levant les yeux, il aperçut une forme immense qui plongeait vers lui.

— Ton heure a sonné, Toa! beugla la forme.

Nidhiki sourit en voyant son partenaire féroce, Krekka, s'écraser sur la passerelle à côté de Lhikan et s'engager aussitôt dans une lutte corps à corps avec le Toa. La taille et la force de Krekka lui donnaient un net avantage, mais Lhikan était un adversaire aguerri, un vétéran d'un millier de conflits. Le Toa attendit le bon moment, fit un pas de côté et utilisa la force de Krekka à son propre avantage. D'un geste fluide, il réussit à balancer la créature par-dessus la passerelle.

Le Chasseur de l'ombre n'était peut-être pas l'être le plus brillant de Metru Nui, mais il savait tout de même ce qui l'attendait s'il plongeait dans la cuve de protodermis en fusion. En un éclair, sa main agrippa le rebord de la passerelle et il commença à grimper.

Lhikan jeta un regard en direction de Vakama. Le Matoran avait observé le combat, mais il était tellement paralysé par le choc qu'il n'avait pas remarqué les dommages qu'avait causés le premier jet de Nidhiki à la passerelle sur laquelle il se trouvait. Lhikan, lui, pouvait voir que la passerelle était sur le point de s'effondrer.

— Vakama! Dégage! cria le Toa.

Mais il était déjà trop tard. Le métal grinça, puis craqua. Les supports de la passerelle se brisèrent et

Vakama se mit à glisser en direction du liquide en fusion. Oubliant la menace que posait Nidhiki, Lhikan sauta sur la passerelle brisée et attrapa le Matoran.

— La compassion a toujours été ton point faible, mon frère, fit Nidhiki en plissant les yeux.

Lhikan tentait désespérément de hisser Vakama pour le ramener à une sécurité relative quand soudain, il sentit qu'on le saisissait et qu'on le soulevait dans les airs. Le Toa se retourna et vit que Krekka avait pris le contrôle de la grue et s'en servait maintenant pour balancer Lhikan et Vakama au-dessus du protodermis bouillonnant.

— C'est l'heure de la baignade! grogna Krekka.

Le Chasseur de l'ombre manœuvra les leviers pour faire descendre ses deux « prisonniers » vers la cuve. Voyant cela, Lhikan rassembla toutes ses forces et souleva Vakama assez haut pour que le Matoran puisse saisir la pince qui les retenait.

— Ne la lâche pas! ordonna le Toa.

— Je n'en avais pas la moindre intention, répliqua Vakama.

Ayant réussi la partie la plus facile de l'opération, Toa Lhikan se mit ensuite à se balancer d'avant en arrière, comme un pendule, essayant de se donner un élan suffisant pour exécuter le seul plan qu'il jugeait réalisable. Il ne pensa pas aux conséquences d'un échec possible, ni à la substance en fusion attendant en dessous, mais se concentra uniquement sur le rythme et la vitesse de son balancement.

Au moment crucial, Lhikan se défit de l'emprise de la grue et s'envola. À la grande surprise de Krekka, il atterrit sur le toit de la cabine où se trouvait le Chasseur de l'ombre. Avant que celui-ci ait eu le temps de réagir, Lhikan le repoussa d'un coup d'épaule et arrêta la descente de la grue.

Mais le Toa n'eut aucune chance de célébrer sa victoire. Une toile d'énergie lancée par Nidhiki l'emprisonna. Pendant qu'il se débattait en vain pour se libérer, ses yeux se fixèrent sur le Matoran.

— Vakama, le Grand esprit compte sur toi! s'écria-t-il. Sauve le cœur de Metru Nui!

Krekka projeta un arc d'énergie sombre qui ligota les mains du Toa, mais Vakama ne pouvait plus voir. Son esprit était aux prises avec une vision...

Le temps ralentissait, ralentissait, presque au point de s'arrêter. Un visage s'approchait, mais il était assombri par des vagues d'énergie élémentaire. Il s'éclaircissait maintenant... c'était celui de Lhikan... mais tordu et déformé... et derrière lui, deux yeux rouges, un regard diabolique...

La vue de ces yeux horribles sortit Vakama de sa transe, mais la vision le laissa faible et tremblant. Étourdi, il promena son regard autour de lui et eut tout juste le temps de voir Krekka et Nidhiki entraîner Lhikan hors de la forge.

— Le temps presse! cria Lhikan. Tu dois arrêter les ténèbres!

— Non! hurla Vakama.

C'était tout ce qu'il pouvait faire.

Près des Fontaines de la sagesse de Ga-Metru, une grande foule de Matoran avaient les yeux levés vers un immense écran, sur lequel était apparu le masque bienveillant de Turaga Dume, le sage de la cité. Personne ne faisait attention au véhicule qui passait sur la rue, avançant lentement sur des pattes insectoïdes. Conduit par des Vahki Bordakh, les forces de l'ordre de Ga-Metru, le véhicule transportait de grosses sphères argentées.

— Matoran de Metru Nui, commença Dume, que toute la cité pouvait voir et entendre. C'est avec une profonde tristesse que je dois vous informer de la disparition de notre bien-aimé Toa Lhikan.

À Ko-Metru, Ta-Metru, et partout ailleurs dans la cité, les Matoran en eurent le souffle coupé. Ceux qui tentaient de s'approcher de l'écran ou d'y tourner le dos étaient ramenés à l'ordre par des brigades de Vahki.

— Mais avec l'aide des Vahki, poursuivit Turaga

Dume, l'ordre sera maintenu. Ayez confiance en moi et bientôt, toutes vos inquiétudes seront apaisées.

Les paroles du Turaga eurent l'effet de fers brûlants sur Vakama. De retour dans sa forge, il regardait le paquet que Lhikan lui avait donné.

— Toa Lhikan... tout est de ma faute, mumura-t-il tristement.

Il défit l'emballage de papier métallique et découvrit une pierre Toa. Au même moment, il remarqua une inscription sur l'emballage, mais avant qu'il ait pu l'examiner de plus près...

— Tu ne devrais pas te blâmer, Vakama.

Le Matoran se retourna et vit Turaga Dume qui entrait, flanqué d'une brigade de Vahki. Plus grand que Vakama de la hauteur d'un masque, Dume respirait la sagesse et projetait une image de père pour tous les Matoran. Mais les Vahki étaient là pour rappeler aux habitants de la cité que Dume représentait l'autorité à Metru Nui et qu'il fallait obéir à ses moindres paroles.

Le Turaga jeta un coup d'œil circulaire au chaos qui régnait dans la forge depuis le combat entre Lhikan et les Chasseurs de l'ombre.

— Tu es un fabricant de masques, pas un Toa, dit-il doucement.

Vakama hocha la tête. Pendant que Dume regardait

ailleurs, il glissa la pierre Toa et son emballage sur la table déjà encombrée derrière lui. Certain qu'elle était bien cachée, il alla chercher une chaise pour Dume, mais il trébucha et tomba à la renverse.

— Je viens chercher le Masque du temps, annonça Dume.

— Oui... heu... bien sûr, fit Vakama en se relevant. Je suis désolé, Turaga, mais il n'est pas encore prêt. Il faut beaucoup de temps pour fabriquer un Grand masque.

— Serait-ce que tu utilises des disques de qualité inférieure? demanda Dume.

— J'utilise des disques de la plus haute qualité possible, Turaga. Seuls les Grands disques sont plus purs, mais ils ne peuvent être récupérés que par un Toa.

— Bien sûr, fit Turaga en se tournant. Dommage que Toa Lhikan ne soit pas ici pour nous aider.

Vakama recula encore et, par accident, heurta la table, faisant tomber la pierre Toa. D'un geste furtif, il parvint à l'attraper et à la cacher de nouveau avant que Dume se retourne vers lui.

— Apporte le masque achevé au Colisée, avant le grand concours, ordonna le Turaga. Le destin de Metru Nui est entre tes mains.

Vakama poussa un soupir de soulagement quand le Turaga et ses Vahki quittèrent la forge. Aussitôt qu'ils furent hors de vue, Vakama reprit la feuille métallique. En l'examinant de près, il put voir que les inscriptions étaient en fait une carte détaillée – une carte d'un endroit que chaque Matoran connaissait bien.

— Le Grand temple... murmura Vakama.

Aussitôt qu'il en eut la possibilité, Vakama se glissa hors de la forge et se rendit à Ga-Metru. Mais quand il arriva au Grand temple, il fut surpris de constater que d'autres Matoran s'y trouvaient déjà. Cinq, en fait, et tous, de parfaits inconnus.

Matau détailla Vakama de la tête aux pieds et dit :

— Tu t'es trompé d'adresse-destination, cracheur de feu?

— À toi de me le dire, rétorqua Vakama en ouvrant la main pour montrer la pierre Toa qu'il avait apportée.

Nokama fit un pas en avant pour montrer qu'elle avait, elle aussi, une pierre Toa. Les autres Matoran l'imitèrent.

— On dirait que nous avons tous reçu un cadeau de Toa Lhikan, dit Nokama. Ils se ressemblent tous et pourtant, chacun est unique.

— Comme nous! lança Matau en souriant. Tous des

Matoran… mais certains sont plus séduisants que d'autres.

— Qui a jamais entendu parler de Matoran qu'on aurait convoqués au Grand temple de cette manière? demanda Whenua en secouant la tête.

— Que va-t-on nous demander de faire? renchérit Nuju. Nous sommes tous… des étrangers.

— Certains sont plus étranges que d'autres, laissa tomber Onewa.

Nokama lança un regard perçant au Po-Matoran.

— Ton attitude négative pollue ce sanctuaire, constructeur, dit-elle.

— Épargne-nous tes leçons, professeure, rétorqua Onewa.

Leur dispute fut interrompue par l'apparition soudaine d'une châsse en pierre, qui s'éleva du plancher devant eux.

— La suva Toa! s'exclama Vakama.

— *Quand les Toa atteignent leur plein potentiel, cette châsse suva leur accorde leurs pouvoirs élémentaires,* récita Whenua de mémoire.

Chacun des Matoran avança d'un pas et plaça sa pierre Toa dans une niche de la suva. Un rayon d'énergie élémentaire fusa des pierres réunies. La salle du temple trembla comme si un fort séisme avait secoué la cité. Puis, aussi soudainement qu'elles avaient commencé, les secousses cessèrent.

Les Matoran se regardèrent, sidérés, en voyant l'image du masque de Toa Lhikan apparaître dans le rayon d'énergie. Le Hau Kanohi jaune planait dans les airs.

— Fidèles Matoran, Metru Nui a besoin de vous, dit le Hau, empruntant la voix de Lhikan. Une ombre menace son cœur. Montrez-vous dignes de porter le nom de Toa et n'ayez aucune crainte. Le Grand esprit vous guidera d'une manière que vous ne sauriez imaginer.

Le masque brillait d'un éclat aveuglant. Les Matoran reculèrent en chancelant lorsque des rayons d'énergie en émergèrent et les enveloppèrent tous d'un pouvoir inimaginable. Les Matoran se mirent à briller, puis à se métamorphoser. Leur corps devint plus grand et plus fort, et une armure se forma là où il n'y en avait pas eu auparavant. Leur masque se transforma, passant du simple Kanohi des Matoran à un Grand masque de puissance.

Au-dessus d'eux, le masque Hau était devenu une boule de lumière brillante. Soudain, il s'éteignit, et il ne resta plus aucun signe de sa présence. Les pierres Toa avaient aussi disparu. Les six Matoran – maintenant six Toa Metru portant armure – se regardèrent avec stupéfaction.

— Sommes-nous... des Toa? demanda Onewa, dont la voix trahissait son excitation.

— Si nous ressemblons à des héros Toa, c'est que nous en sommes! répondit Matau.

— Pourquoi transformer des Matoran comme nous en Toa? demanda Whenua en secouant la tête.

— C'est parce que des temps incertains planent à l'horizon, répondit Nuju.

— Maintenant, tout ce qu'il nous manque... lança Onewa en promenant son regard tout autour.

Comme si le reste de ses paroles avait été anticipé, les côtés de la châsse suva disparurent, découvrant une cache d'outils Toa.

— C'est ça! s'écria Matau.

Les six nouveaux Toa se précipitèrent pour choisir leur équipement. Onewa saisit une paire de proto-pitons, Nuju, deux pointes de cristal, et Whenua, des marteaux-piqueurs. Vakama hésita un instant, puis s'empara d'un lanceur de disques.

— Excellent choix, fabricant de masques... pour quelqu'un qui veut pratiquer les jeux des Matoran, fit Matau en riant.

Quant à Nokama, elle choisit une paire de lames

hydro, tandis que Matau mettait à l'essai des lames aéro-tranchantes. Il exécuta une série de manœuvres rapides avec les outils coupants en criant : « Super! » Mais en plein milieu d'un exercice particulièrement compliqué, l'une des lames lui échappa et manqua de peu la nouvelle Toa Metru de l'eau.

— Dois-je te rappeler, lança Nokama d'un ton brusque, qu'il s'agit d'honorer nos responsabilités envers le Grand esprit?

— Nokama a raison, renchérit Whenua. Vakama, tu es le dernier à avoir vu Toa Lhikan, non?

Lorsque Vakama fit oui de la tête, Whenua poursuivit :

— Est-ce que Toa Lhikan t'a dit à quoi nous pouvions nous attendre?

Vakama fit un pas en avant, hésitant.

— Toa Lhikan a dit... commença le Toa du feu.

— Parle, cracheur de feu! lança Onewa.

— Il m'a dit d'arrêter les ténèbres... que je devais sauver le cœur de Metru Nui, répondit Vakama. Puis les Chasseurs de l'ombre l'ont emporté... C'est ma faute.

Vakama s'interrompit. Ses pensées se tournèrent vers l'intérieur tandis qu'une autre vision s'emparait de son esprit.

Des ombres traversaient le paysage. Vakama conduisait un groupe vers Metru Nui quand soudain, il y eut un éclair brillant qui illumina une cité en ruines! Stupéfié, Vakama s'avança, mais la cité se reconstruisit mystérieusement sous ses yeux.

Six disques Kanoka sortirent des ténèbres et foncèrent droit sur lui, le forçant à se baisser vivement pour les esquiver. Mais les disques n'essayaient pas de le blesser. Ils se fusionnèrent plutôt pour ne plus former qu'un disque énorme, qui explosa dans un grand éclat...

Puis soudain, Vakama se retrouva parmi les autres Toa. Bien que la vision eût disparu, il se protégeait toujours les yeux de la lumière éblouissante.

— La chaleur constante du fourneau doit lui avoir cuit le cerveau, lâcha Onewa, qui l'observait.

— Metru Nui a été anéantie, je l'ai vue! s'écria Vakama. Six Grands disques fonçaient droit sur moi et...

— Merci de nous faire partager tes rêves-songes, laissa tomber Matau en ne faisant aucun effort pour dissimuler le doute qui perçait dans sa voix.

— Si nous les trouvons, nous prouverons à Turaga Dume que nous sommes dignes de porter le nom de Toa, insista Vakama.

— Eh bien... selon la légende ancienne, un Grand

disque est caché dans chaque metru, dit Whenua.

— Alors, nous allons faire une chasse au trésor parce qu'un cracheur de feu est resté trop longtemps devant son fourneau? lança Onewa, sarcastique.

— Les visions peuvent être un signe de démence, fit observer Nokama, ou encore des messages du Grand esprit. Mais en tant que Toa, il est de notre devoir d'en tenir compte.

Comme personne ne parlait, elle poursuivit :

— Alors, nous sommes d'accord. Chacun de nous récupérera le Grand disque de son propre metru et le présentera à Turaga Dume.

— Je fais ça pour Lhikan... et personne d'autre, marmonna Onewa en regardant Vakama.

Nokama conduisit les Toa Metru dans les entrailles du temple. Il y avait là, sur l'un des murs, une ancienne sculpture qui, selon la Toa de l'eau, comportait des indices qui pouvaient les mener aux endroits où étaient cachés les six Grands disques.

— « On peut trouver les Grands disques en cherchant l'inconnu dans le familier... » lut-elle.

À Po-Metru, vous devez rechercher une montagne en équilibre...

Loin au-dessus de la Carrière aux sculptures de Po-

Metru, Onewa, le Toa de la pierre, s'acharnait à libérer le Grand disque encastré dans une gigantesque masse triangulaire de protodermis, en équilibre précaire sur l'une de ses pointes. Au prix d'un énorme effort, le Toa réussit à dégager le disque... et la masse bascula dans sa direction...

À Ko-Metru, cherchez là où le ciel et la glace se rejoignent...

Nuju, le Toa de la glace, allait tomber dans le vide... et risquait de s'écraser au pied de la Tour de la connaissance. Il étendit le bras et parvint à saisir un énorme glaçon qui pendait du toit. C'est alors qu'il remarqua que ce glaçon était différent de tous les autres.

Un Grand disque était emprisonné à l'intérieur.

Le Grand disque de Le-Metru sera tout autour de vous quand vous le trouverez...

Matau, le Toa de l'air, se trouvait à un endroit qu'il avait toujours espéré éviter : à l'intérieur d'une sphère d'énergie magnétique, filant à une vitesse incroyable dans un toboggan qui se dirigeait vers une destruction certaine. Mais la sphère, qui attirait tous les débris se trouvant autour d'elle, avait aussi capturé le Grand disque. Si Matau n'arrivait pas à récupérer le disque, celui-ci se fracasserait.

Il y a des jours où il n'est pas vraiment agréable-plaisant d'être un héros Toa, se dit-il.

Aucune porte ne doit être laissée fermée à Onu-Metru...

Dans les Archives, Whenua tentait désespérément de claquer une porte. Le crabe Ussal furieux qui se tenait de l'autre côté ne voyait pas les choses de la même façon. Son énorme pince claquait, essayant de saisir le Toa de la terre. Whenua souhaita, pour la énième fois, qu'on ait installé des écriteaux sur les portes des salles d'exposition de ce musée vivant. Faisant appel à toute sa force Toa, Whenua réussit à fermer et à verrouiller la porte massive.

Comble de malheur, quelque temps plus tard, il fut enseveli sous une masse d'artefacts. Il réussit toutefois à s'en sortir, tenant triomphalement un Grand disque et espérant que toutes ces difficultés en vaudraient la peine.

À Ga-Metru, va au-delà des profondeurs jamais atteintes par un Toa...

Nokama nageait dans la mer de protodermis avec

fluidité et aisance. Ayant réussi, après bien des efforts, à dégager le Grand disque coincé entre deux saillies pointues, elle le transportait maintenant vers la surface. Elle était tellement emballée par sa trouvaille qu'elle ne remarqua pas que les deux « saillies pointues » étaient en fait des dents... ni qu'une gigantesque créature des profondeurs se rapprochait dangereusement d'elle...

Côtoyez la racine du feu à Ta-Metru...

Vakama était suspendu dans un puits de feu, retenu par un sarment de vigne noirci et déformé. Ses doigts étaient crispés sur le Grand disque... mais comment allait-il s'y prendre pour sortir du puits avec le disque intact? Il n'en avait aucune idée.

Et ces disques glorieux seront à vous.

Après avoir vécu de multiples aventures, ensemble et séparément, les Toa Metru furent enfin réunis à l'extérieur du Colisée, chacun tenant le Grand disque de son propre metru.

— Est-ce que quelqu'un a eu des problèmes? demanda Nokama à ses compagnons.

Les Toa posèrent les yeux sur le sol, le Colisée, n'importe où...mais ils évitèrent soigneusement de se regarder les uns les autres.

— Non, marmonna chacun à tour de rôle.

Puis ils se dirigèrent ensemble vers la porte massive du Colisée de Metru Nui.

Le Colisée dominait la cité. Situé à la jonction des six metru, il était si haut qu'il donnait l'impression de vouloir toucher le ciel. Assez vaste pour accueillir tous les Matoran de Metru Nui, il servait à la fois de centre d'athlétisme et de centrale énergétique pour toute la cité. Le siège de Turaga Dume se trouvait également dans cet imposant bâtiment. L'une des extrémités du stade était dominée par une statue massive de Toa Lhikan, et l'autre, par la loge de Dume.

Lorsque les Toa Metru pénétrèrent dans l'enceinte, un tournoi de disques Kanoka battait son plein. Tout autour, des Matoran surfaient sur des disques, au-dessus du sol ondulant, tentant de lancer leur Kanoka dans des cerceaux fixés haut sur les murs. Aussitôt que les joueurs aperçurent les visiteurs, ils interrompirent leur joute et se placèrent en retrait. Le sol reprit sa forme naturelle.

Tenant les Grands disques à bout de bras, les Toa Metru se rendirent au milieu du terrain. La foule se mit à scander : « To-a! To-a! To-a! », d'abord à voix basse, puis avec de plus en plus de force et d'enthousiasme, jusqu'à ce que le Colisée en tremble.

— Salut, Metru Nui! hurla Matau en saluant de la main.

Puis il se tourna vers les autres Toa.

— J'ai toujours voulu crier-hurler ça! avoua-t-il.

Du haut de sa loge, Turaga Dume observait les Toa avec étonnement. Il était flanqué de deux Vahki Rorzakh d'Onu-Metru, et son énorme et puissant faucon, Nivawk, était perché derrière lui.

Dume se pencha en avant et s'exclama, d'un ton incrédule :

— Vakama?

S'efforçant de reprendre le contrôle de lui-même, il poursuivit :

— Matoran le matin, Toa l'après-midi. Pas étonnant que tu n'aies pas encore terminé le Masque du temps.

— Pardonnez-moi pour le retard, Turaga, mais... commença Vakama.

— Nous étions des Matoran, et l'instant d'après, nous avons été électrifiés-secoués, cria Matau en faisant trembler son corps pour simuler le choc. Puis nous sommes devenus des Toa masqués!

Nokama souleva encore son Grand disque dans les

airs, aussitôt imitée par les autres. Elle s'adressa à Dume :

— Nous vous présentons les Grands disques Kanoka comme preuve de notre statut de Toa.

— Les Toa doivent faire leurs preuves par des actes, et non par de simples offrandes, répliqua Dume.

Puis, s'adressant à la foule, il s'écria :

— Matoran de Metru Nui! Le Grand esprit nous a donné six nouveaux Toa, qui vont, sans aucun doute, pouvoir démontrer leur valeur sur ce champ d'honneur!

La foule applaudit à tout rompre, mais les Toa Metru se figèrent, ahuris. Tout ce travail pour récupérer les Grands disques... et voilà que le Turaga Dume les rejetait. Un à un, les Toa remirent les disques à Vakama, leurs visages exprimant déception et mépris. Après tout, cela avait été son idée à lui et elle n'avait pas fonctionné.

— Attrape ça, cracheur de feu! lança Onewa.

Dans la salle de commande du Colisée, des Matoran s'étaient mis à manipuler une série de leviers et d'interrupteurs. Les Toa Metru entendirent des machines qui grinçaient et cliquetaient sous leurs pieds. Puis le visage de Dume apparut sur l'écran géant dominant le terrain.

— Traversez la Mer de protodermis, lança-t-il d'une

voix retentissante, et vous serez reconnus comme Toa!

Le sol sous les Toa Metru commença à bouger, à se balancer et à onduler. Ils luttèrent pour conserver leur équilibre tandis que, l'une après l'autre, des vagues traversaient le terrain. Puis une série de colonnes argentées, surmontées de pointes tranchantes comme des rasoirs, émergèrent du sol, ici et là, menaçant d'embrocher les Toa.

Matau évita de justesse le premier coup.

— Une chance que je suis rapide-vite! s'exclama-t-il.

Mais c'était maintenant au tour de Nuju d'affronter le danger. Le Toa Metru de la glace fit un bond en arrière et s'écrasa sur Whenua, les faisant culbuter tous deux.

— Comment allons-nous faire pour nous en tirer? demanda Nuju.

— Nous allons utiliser les pouvoirs des masques que le Grand esprit nous a donnés! répondit Whenua.

— Et comment allons-nous nous y prendre?

Whenua n'eut pas le temps de répondre, car d'autres colonnes surgissaient du sol. Nuju, qui s'était relevé, pivota sur lui-même pour éviter deux colonnes à la fois, sans remarquer la direction dans laquelle il agitait sa pointe de cristal. Son outil Toa fit perdre l'équilibre à Vakama, qui tomba à la renverse. La foule éclata de rire.

Vakama se ressaisit et leva les yeux juste à temps pour voir un raz-de-marée de protodermis solide qui fonçait droit sur les Toa. Il se releva d'un bond au moment où Nokama montrait du doigt une arche, à l'autre bout de l'enceinte.

— Suivez-moi! cria-t-elle, essayant de mener ses compagnons à l'abri.

La houle gigantesque se souleva derrière les Toa, mais ils arrivèrent à maintenir leur équilibre et à glisser le long de la vague. D'autres vagues se dressaient maintenant devant eux, chacune plus imposante que la précédente. L'une d'elles souleva Whenua haut dans les airs, puis le rejeta sur le sol.

Un nombre grandissant de vagues assaillait les Toa de toute part. Pendant qu'Onewa esquivait de justesse un raz-de-marée de protodermis faisant huit mètres de haut, un autre projetait Nuju, Vakama et Nokama dans des directions opposées. Puis la vague la plus monstrueuse d'entre toutes s'éleva, s'avançant à une vitesse inquiétante et se brisant en gros blocs de métal.

— C'est le temps de déguerpir-courir! rugit Matau.

— En avant! hurla Nuju.

— Non, battez en retraite! répliqua Whenua, qui recula brusquement et entra en collision avec le Toa de la glace.

Levant les yeux, ils virent des blocs de protodermis qui leur tombaient sur la tête et durent réagir très vite pour ne pas être écrasés.

— Assez! ordonna Dume.

Aussitôt, les Matoran de la salle de commande mirent fin aux épreuves. Les Toa Metru étaient dispersés sur le terrain, épuisés. La foule gardait le silence. De l'écran géant, Dume regarda les six Toa et sourit.

— Félicitons ces bouffons, railla-t-il. Ils pensaient peut-être nous divertir pendant ces temps difficiles...

— Non! s'écria Vakama. Nous *sommes* des Toa!

— Ou peut-être s'agit-il d'imposteurs qui auraient causé la mort de Toa Lhikan? poursuivit Dume. Après tout, Vakama est le dernier à l'avoir vu!

— Oui, mais... non... c'est faux! bégaya Vakama.

Le visage de Dume jeta un regard mauvais.

— Saisissez-les! ordonna-t-il.

Vakama écarquilla les yeux en voyant Krekka et Nidhiki s'approcher de Turaga Dume et se placer à ses côtés. Se pourrait-il que...?

— Non, ce sont eux les coupables! hurla-t-il en montrant du doigt les deux Chasseurs de l'ombre.

Des brigades de Rorzakh encerclèrent les Toa, bâton au poing. Au même moment, les Matoran de la salle de commande actionnèrent d'autres interrupteurs et transformèrent le centre du terrain en un vaste tourbillon métallique. Whenua, Nuju et Onewa, qui en étaient le plus près, se démenèrent pour résister à l'attraction.

Nuju tenta d'enfoncer sa pointe de cristal dans le sol, mais la force du tourbillon la lui arracha des mains et l'attira dans les ténèbres. Quelques secondes plus tard, Nuju la suivit, volant tête première vers le vortex. En chemin, il fonça sur Whenua, entraînant le Toa de la terre dans le tourbillon.

Matau et Nokama plongèrent leurs outils dans le protodermis, dans l'espoir de combattre l'attraction. Vakama s'envola dans leur direction, mais Nokama l'attrapa de sa main libre, au dernier moment.

Onewa n'eut pas cette chance. Criant « À l'aide! », il disparut dans le tourbillon.

Nokama promena son regard à la ronde. Les Rorzakh se rapprochaient et les trois Toa qui restaient étaient sans défense. Soudain, les yeux de Nokama se posèrent sur la statue de Toa Lhikan.

— Vakama! cria-t-elle en montrant la sculpture du doigt. La statue! Fais-la tomber!

Le Toa du feu hocha la tête et se prépara à charger un disque dans son lanceur. Il avait presque terminé quand il se rendit compte que ce qu'il tenait à la main était un Grand disque. Il décida, à la réflexion, de le remplacer par d'autres disques qu'il transportait dans son sac.

Vakama visa du mieux qu'il le put, puis il lança une série de disques à la base de la statue. La moitié des disques contenaient la puissance de la faiblesse, le reste, la puissance de la reconstitution aléatoire. La combinaison fut explosive : la sculpture bascula. Voyant cela, les Rorzakh se dispersèrent; certains furent entraînés dans le vortex et d'autres, emprisonnés sous le poids de la statue.

— Allons-y! Maintenant! cria Nokama.

Les trois Toa grimpèrent par-dessus la statue, passèrent devant les Rorzakh abasourdis et sortirent du Colisée. Tandis qu'ils couraient, Matau jeta un coup d'œil sur le lanceur de disques de Vakama.

— Impressionnant comme outil Toa, dit-il. On fait un échange?

Mais Vakama ne l'écoutait pas. Son attention et sa colère étaient concentrées sur le Turaga de sa cité.

* * *

Dume se tourna vers Nidhiki et Krekka.

— Les nouveaux Toa ne doivent pas contrecarrer le plan, dit-il, sa voix tremblant d'une colère à peine contenue.

— Ce ne sont que de simples Matoran en armure de Toa, dit Nidhiki en haussant les épaules. Fidèles à notre devoir, nous n'échouerons pas.

Krekka considéra ces paroles pendant un long moment, puis il hocha la tête pour signifier son accord.

À l'extérieur du Colisée, les trois Toa s'arrêtèrent pour reprendre leur souffle. Vakama n'arrivait pas à se remettre de la surprise que lui avait causée l'alliance de Dume, Nidhiki et Krekka.

— Les Chasseurs de l'ombre ont enlevé Toa Lhikan, sous les ordres de Turaga Dume! lança-t-il. C'est lui qui a tout manigancé!

— Et maintenant, il va les envoyer à nos trousses, fit Nokama en hochant la tête.

— Tout ça parce que le cracheur de feu a paniqué-échoué, grommela Matau.

Il n'avait pas oublié ce que leur avait raconté Vakama, au sujet de son incapacité d'agir pendant qu'on enlevait Toa Lhikan.

Vakama ne répondit pas. Qu'aurait-il pu dire?

— Il faut partir d'ici, déclara Nokama.

Elle regarda en contrebas et aperçut un toboggan, loin au-dessous. Sauter à l'intérieur était très risqué. Si sa vitesse et le moment n'étaient pas tout à fait exacts, elle rebondirait sur la paroi extérieure, au lieu de la traverser pour se retrouver dans le flux de protodermis magnétisé.

Prenant une grande inspiration, elle sauta de la corniche où s'étaient arrêtés les trois Toa. Plongeuse d'expérience, elle maintint son corps aussi droit que possible et fixa les yeux sur sa destination. Elle frappa le toboggan à la perfection, traversa la paroi extérieure et se mit aussitôt à avancer avec fluidité.

Loin au-dessus, Vakama l'avait regardée plonger avec admiration, mais non sans une certaine crainte. Les Ta-Matoran n'avaient pas l'habitude de sauter partout comme les grimpeurs de câble de Le-Metru ni de nager dans la mer comme des poissons Ruki. Vakama n'était jamais entré dans un toboggan autrement qu'à partir d'une station. Non seulement l'exercice était dangereux, mais c'était aussi la meilleure façon d'attirer l'attention des Vahki.

Derrière lui, Matau s'impatientait. Soudain, il donna une poussée à Vakama, qui précipita celui-ci dans le vide. Heureusement pour lui, le Toa du feu atteignit le toboggan au bon moment et plongea sans difficulté dans le courant de protodermis. Il lui fallut un moment pour s'adapter à ce nouvel environnement. Saisissant une marchandise qui passait près de lui, il se laissa tirer derrière Nokama.

Là-haut sur la corniche, Matau se retourna en entendant un bruit derrière lui. Krekka et Nidhiki venaient de sortir du Colisée. À la vue du Toa, ils prirent une forme plus aérodynamique et s'élancèrent vers lui. Pris de panique, Matau sauta à son tour.

Dans des circonstances normales, le natif de Le-Metru était l'un des meilleurs pour ce qui était de sauter dans les toboggans. Mais il n'avait jamais tenté de le faire avec deux Chasseurs de l'ombre à ses trousses. Ses bras et ses jambes s'agitaient dans tous les sens. Il s'écrasa brutalement sur le toboggan, puis s'enfonça lentement dans le protodermis. D'un côté, il était heureux de se trouver momentanément en sécurité, mais de l'autre, il espérait qu'aucune de ses connaissances n'avait vu sa performance.

Turaga Dume traversait silencieusement une pièce de ses quartiers privés. Malgré les nombreuses lanternes de pierres de lumière, la vaste pièce paraissait froide et sombre. Sans même regarder le grand trône posé sur le plancher poli, Dume fit basculer une porte secrète dans le mur du fond et en franchit le seuil.

Derrière la porte se trouvait une pièce que ses yeux étaient les seuls à avoir jamais vue. La lumière des soleils y entrait à flots des deux côtés et frappait deux énormes cadrans solaires. Les instruments étaient formés de grandes plaques circulaires portant des inscriptions dans une langue déjà très ancienne lors de la fondation de Metru Nui. Les plaques étaient surmontées de poteaux de pierre noire découpant des ombres sinistres. Elles tournaient avec un cliquetis rythmique, rapprochant de plus en plus les ombres que projetaient les poteaux, à mesure que les secondes s'écoulaient.

Turaga Dume se dirigea vers le coin le plus sombre de la pièce. Deux sinistres yeux rouges luisaient dans les ténèbres devant lui.

— Le Masque du temps ne sera pas terminé, rugit une voix semblable au tonnerre.

— Non, fit Turaga Dume, mais lorsque la Grande ombre s'abattra, les Vahki scelleront le sort de chacun des Matoran.

Les yeux s'évanouirent dans l'obscurité. La pièce redevint aussi silencieuse qu'un tombeau.

Nokama se contorsionna pour éviter de s'écraser contre un véhicule de marchandises. Derrière elle, Vakama et Matau en firent autant, tout en essayant de rester accrochés aux objets qui filaient dans le toboggan. C'était l'heure de pointe à Metru Nui et les convois de marchandises les dépassaient à une vitesse inquiétante en vrombissant.

Les trois Toa arrivaient à se débrouiller grâce à leur force et à leur agilité. Le véritable défi serait de trouver un endroit à Metru Nui où les Vahki ne pourraient pas les suivre.

À l'intérieur de la cabine de commande de Le-Metru d'où on contrôlait les toboggans, un Matoran très effrayé, nommé Kongu, cherchait de l'aide, mais en vain. Dans toute sa longue carrière, il n'avait jamais connu de situation plus dangereuse qu'une panne de toboggan ou la présence, à l'occasion, de sphères de puissance. Maintenant, captif du Chasseur de l'ombre Krekka, il savait exactement ce qu'était la peur.

— Tout le système va exploser si j'inverse le flux! s'écria-t-il.

Derrière lui, Nidhiki siffla entre ses dents. Krekka souleva alors un bras puissant pour que Kongu ait une idée de ce qui l'attendait s'il refusait de coopérer.

— Après tout, il se pourrait bien que ça fonctionne, fit Kongu d'une voix faible.

Sa main s'abattit sur un bouton et, avec un énorme *woush!*, les pompes du protodermis magnétisé qui alimentait les toboggans se mirent à fonctionner en sens inverse.

Le voyage des Toa prit fin abruptement. Tout s'immobilisa subitement dans les toboggans, laissant les héros, les Matoran et les véhicules de marchandises suspendus dans le champ d'énergie. Vakama et Matau échangèrent un regard, puis haussèrent les épaules.

Au même instant, avec un rugissement à déchirer les tympans, le flux des toboggans se renversa. Les Toa perdirent l'équilibre et, hors de contrôle, allèrent s'écraser contre les parois, tandis que le système de transport prenait de la vitesse. Ils n'avaient rien à quoi s'accrocher, aucune façon de reprendre pied. Et les nombreuses collisions rendaient même la réflexion difficile.

Nokama, qui n'en finissait pas de culbuter, entrevit un véhicule de marchandises qui tournoyait et se dirigeait vers elle. À la toute dernière minute, ses compagnons et elle s'aplatirent contre les parois, et le véhicule ne fit que les effleurer.

Ça ne peut pas continuer comme ça, se dit Nokama. *Ce n'est qu'une question de temps avant que quelque chose nous frappe... ou pire, que nous nous retrouvions là où nous avons commencé : entre les mains des Vahki.*

C'est avec cette perspective en tête que Nokama plongea ses deux lames hydro au fond du toboggan. S'accrochant aux lames d'une main, elle agrippa Vakama de l'autre. Et celui-ci, à son tour, attrapa Matau. Les Toa formaient maintenant une chaîne.

Ainsi stabilisé, Matau libéra sa lame aéro-tranchante et découpa un trou au fond du tube. Levant les yeux, il aperçut un autre véhicule de marchandises hors de contrôle qui fonçait tout droit sur eux. Les trois Toa plongèrent par le trou, juste au moment où le véhicule allait les frapper.

Ils étaient maintenant suspendus dans les airs, loin au-dessus de Metru Nui. Nokama se cramponnait à ses lames hydro, tandis que Vakama s'accrochait à sa cheville et, de sa main libre, retenait Matau.

— Tout le monde va bien? s'enquit Nokama.

— Oh oui-certainement! répondit Matau d'un ton sarcastique. J'en profite pour admirer le paysage.

Nokama baissa les yeux vers Vakama. Le Toa du feu fixait le vide.

— Vakama? dit-elle.

Mais Vakama, ou plutôt son esprit, n'était plus là. Il était perdu dans une autre vision...

Il se tenait près de Toa Lhikan. Mais au moment où Vakama s'approchait pour saluer son ami retrouvé, le Toa se transforma en une explosion d'énergie aveuglante. La sphère de lumière plana un instant dans les airs, puis s'élança vers le ciel.

Vakama leva la tête pour la regarder traverser le ciel nocturne. Tandis qu'elle filait à toute vitesse, le champ d'énergie se transforma peu à peu, pour finalement ressembler aux étoiles filantes que les savants de Ko-Metru étudiaient. Mais cette manifestation astronomique n'avait rien d'un hasard... non, on aurait plutôt dit une flèche indiquant...

Vakama émerga de sa transe. Nokama le regardait, l'air inquiet.

— Une autre vision? demanda la Toa de l'eau.

L'air un peu embarrassé, Vakama fit signe que oui.

— Tu ferais mieux de laisser tomber tes visions-hallucinations plutôt que ton frère Toa! cria Matau.

Nokama jeta un œil vers ses lames hydro, qui commençaient à perdre leur prise sur le toboggan. S'efforçant de rester calme, elle se mit à se balancer, le mouvement de son corps entraînant les autres Toa. Lentement, ils prirent de la vitesse, décrivant un arc dans un mouvement de va-et-vient, en direction d'une tour de soutien qui se trouvait tout près. Les lames hydro se détachaient toujours un peu plus avec chaque balancement.

Au moment où les Toa atteignaient le point le plus élevé du balancement suivant, les outils de Nokama se décrochèrent tout à fait du toboggan. La Toa s'élança dans les airs et alla se cramponner à la tour de soutien. Mais la secousse ébranla ses deux compagnons, et fit lâcher prise au Toa du feu. Le Toa de l'air plongea vers le sol, loin au-dessous.

— Matau! hurla Vakama.

Mais le vent qui sifflait dans les oreilles de Matau l'empêchait d'entendre l'autre Toa. Les bras et les jambes allongés, il souhaitait désespérément avoir appris à maîtriser son Grand masque de puissance. *À moins, bien sûr, que ce soit un pouvoir inutile-stupide comme respirer de l'eau,* se dit-il. *Mais si c'était quelque chose comme la lévitation, ce serait le pouvoir idéal-parfait en ce moment…*

À l'instant où la pensée lui traversait l'esprit, sa chute devint un vol plané. Ses lames aéro-tranchantes, portées par le vent, agissaient soudain comme des ailes. Un large sourire illumina le visage de Matau.

— Mon masque du pouvoir! hurla-t-il. Je peux...

Sans avertissement, le courant d'air ascendant s'était changé en un courant d'air descendant, et Matau alla percuter, tête première, un immense écran.

— Ouille! ...voler, grogna-t-il.

Tandis que le Toa glissait le long de l'écran, les yeux furibonds de Turaga Dume, qui s'adressait aux Matoran, fixaient la rue plus bas.

— Matoran, soyez tous aux aguets, ordonna le sage de Metru Nui. De faux Toa circulent dans notre cité.

Loin au-dessus, Nokama sentit le découragement s'emparer d'elle. Ce n'était sûrement pas là ce que Lhikan avait en tête quand il leur avait remis les pierres Toa.

La Toa de l'eau jeta un regard rapide à la ronde. Non, il n'y avait pas de Vahki Keerakh dans ce secteur, ni beaucoup de Matoran, d'ailleurs. Les trois Toa Metru pourraient donc faire une pause là et essayer d'y voir clair dans les événements qui venaient de se dérouler.

Matau en profita pour se remettre de son premier

« vol en solo ». Nokama s'était efforcée de ne pas le taquiner à ce sujet, puisque le Toa de l'air n'était déjà pas très fier de lui-même. Vakama se tenait à l'écart et manipulait une paire de Grands disques.

Nokama s'avança vers lui, à l'instant où il rapprochait les disques l'un de l'autre jusqu'à les faire se toucher. Quelque chose d'étrange se produisit alors – les deux disques se ramollirent et commencèrent à se fusionner. Vakama s'empressa de les séparer, l'air perplexe et intrigué.

— Vakama?

— Oui? fit le Toa du feu sans lever la tête.

— Ta dernière vision, que t'a-t-elle montré? demanda Nokama.

Vakama indiqua le ciel du doigt. Une trace de lumière jaune se découpait sur le noir.

— Ça! L'étoile de l'esprit de Toa Lhikan. Chaque Toa en a une. Tant que celle-là brillera dans le ciel nocturne, nous saurons que Lhikan est en vie.

— Elle se dirige vers Po-Metru, observa Nokama.

Matau s'était joint à ses deux compagnons. Il jeta un coup d'œil sur l'étoile de l'esprit et haussa les épaules.

— Qu'allons-nous faire pour nos frères Toa qui ont été capturés? demanda-t-il.

— Seul Toa Lhikan peut arrêter Turaga Dume et

libérer les autres Toa, répondit Vakama en secouant la tête.

— Et que doit-on faire, à ton avis, pour capturer-attraper une étoile de l'esprit? demanda Matau.

Nokama balaya du regard l'endroit où ils se trouvaient. Plus loin sur la route, elle remarqua un véhicule de transport Vahki qui se déplaçait lentement. Le long véhicule était propulsé par une série de pattes ressemblant à celles d'un insecte et transportait de grosses sphères argentées. Un seul Vahki, le chauffeur, se trouvait à bord.

— Je crois avoir trouvé un moyen, conducteur, fit Nokama en souriant.

La Toa de l'eau et le Toa de l'air se mirent à courir en direction du véhicule. Après quelques pas, Nokama jeta un coup d'œil par-dessus son épaule et vit que Vakama n'avait pas bougé. Il manipulait toujours les deux Grands disques.

— Vakama! appela-t-elle.

Le Toa du feu sursauta. Après avoir replacé les disques dans son sac à dos, il s'élança à la suite de ses compagnons. Lorsque le véhicule passa près d'eux, les Toa bondirent dessus sans se faire remarquer. Ils prirent place entre les hautes piles de sphères argentées, des objets qu'ils n'avaient jamais vus avant.

— Qu'est-ce que c'est? demanda Vakama.

— On dirait des récipients de rangement, répondit Matau, mais très étranges-bizarres.

Vakama frotta l'une des sphères de sa main et, aussitôt, ses pensées explosèrent...

Soudain, la sphère s'ouvrit d'un coup sec, découvrant un Matoran plongé dans un sommeil semblable à un coma. L'instant d'après, la lumière du cœur du Matoran s'éteignit. Avant que Vakama ait eu le temps de réagir, le masque du Matoran commença à s'embrouiller, puis se métamorphosa en celui de Turaga Dume. Du masque Kanohi de Dume, deux yeux rouges flamboyants fixaient Vakama...

Le Toa du feu revint à la réalité en sursautant. Une autre vision... et si elle était vraie...

Il poussa Matau pour atteindre la sphère la plus proche.

— Eh! Vas-y doucement! lança Matau.

Vakama ouvrit précipitamment la sphère, mais elle était vide. Nokama s'approcha et jeta un coup d'œil à l'intérieur du récipient.

— Qu'est-ce qui ne va pas, mon frère? demanda-t-elle.

Le Toa du feu fixait avec intensité l'obscurité au cœur de la sphère.

— Rien, ma sœur, rien du tout, finit-il par répondre.

Les yeux de Matau croisèrent ceux de Nokama. Le Toa de l'air fit un geste du doigt en direction de sa tête pour signifier, d'une manière peu subtile, que Vakama était fou. Nokama fronça les sourcils. Une partie d'elle aurait voulu le croire, parce que cela aurait simplifié les choses. Mais en son for intérieur, elle avait le sentiment que la situation à Metru Nui était bien pire que ce que tous pouvaient imaginer… sauf, peut-être, Vakama.

Whenua était certain que les choses ne pouvaient pas aller plus mal. Nuju, Onewa et lui avaient repris leurs esprits dans une cellule pourvue d'épais murs de pierre et d'une solide porte en métal. Leurs outils Toa avaient, bien sûr, disparu. Non seulement étaient-ils prisonniers, mais, pire encore, ils étaient dans cette pièce ensemble. Une véritable torture!

Pour la sixième fois en l'espace de deux minutes, Whenua essaya d'ouvrir la porte. Elle était toujours verrouillée.

— Super! grommela-t-il. Avant, quand je m'éveillais, mon seul souci était mon catalogage. Maintenant, je vais passer à l'histoire comme étant le plus grand criminel de Metru Nui.

Onewa examina les murs. Grâce à son expérience de sculpteur, il avait maîtrisé l'art de dénicher les points faibles dans la pierre. Mais cette cellule n'en montrait aucun. Les plaintes de Whenua ne faisaient qu'ajouter à sa propre frustration.

— C'est moi qui souffre ici, coincé entre un grand cerveau Ko-Matoran et un commis aux stocks Onu-Matoran.

Nuju, pendant ce temps, gardait les yeux rivés sur le sol. Habitué à contempler des horizons sans fin, du haut d'une Tour de la connaissance, il supportait difficilement d'être enfermé.

— Nous ne pourrons jamais nous échapper, dit-il. Nous avons perdu notre liberté. Notre avenir est sans espoir.

— Un Toa qui perd espoir?

Ces paroles provenaient d'un coin sombre de la cellule. Les trois Toa Metru sursautèrent : jamais ils n'auraient imaginé qu'il puisse y avoir quelqu'un d'autre dans la cellule. Maintenant, ils pouvaient distinguer une silhouette solitaire assise, tête baissée, dans une pose méditative. Elle portait une tunique avec un capuchon trop grand qui dissimulait son masque. Mais la sagesse et l'expérience qui perçaient dans sa voix leur indiquèrent qu'il s'agissait probablement d'un Turaga. Mais qui? Et pourquoi se trouvait-il là?

— Turaga? Pardonnez-moi, mais je ne vous connais pas, fit Nuju.

— Vous devriez vous soucier de votre propre identité et non de la mienne, répondit le Turaga d'une voix calme. Retrouver la liberté et s'évader sont des objectifs différents, mais les deux sont facilement réalisables.

— Avec tout le respect que je vous dois, ô grand sage, répliqua Onewa, vous êtes emprisonné ici avec nous, alors...

— Je suis libre, même en ce lieu, dit le Turaga. Mais pour ce qui est de m'évader... il faut les masques de puissance Toa pour y arriver.

Les Toa échangèrent un regard perplexe. L'espoir qu'ils avaient ressenti en découvrant le mystérieux Turaga s'évanouissait rapidement.

— Je doute que nous ayons jamais accès aux pouvoirs de nos masques, dit Nuju.

— Ne doutez jamais de vos capacités, répondit le Turaga. Le Grand esprit vit en chacun de nous.

Me voilà pris dans une cellule avec deux Toa manqués et un Turaga cinglé, pensa Onewa. *La prochaine fois que quelqu'un me donnera une pierre Toa, je m'en servirai tout simplement comme arrêt de porte.*

Le véhicule Vahki avançait lentement dans la Carrière aux sculptures de Po-Metru. Sa destination finale demeurait un mystère, mais plus la distance séparant les Toa du Colisée augmentait, mieux ces derniers se sentaient.

À l'arrière du véhicule, Vakama avait réussi à fusionner trois des six Grands Disques. À l'aide de son sceptre de feu, il avait commencé à façonner les disques combinés en quelque chose qui ressemblait à un masque. Nokama le regarda travailler pendant un long moment avant de lancer :

— Vakama, ton destin n'est plus de sculpter des masques! Tu es un Toa.

— Je ne me sens pas comme un Toa, répliqua Vakama en haussant les épaules.

— Ça viendra, dit Nokama. Aie confiance.

Les trois Toa Metru sautèrent du véhicule de transport Vahki, au moment où celui-ci négociait une courbe serrée. Ils étaient maintenant au cœur de Po-Metru et ne voulaient pas risquer d'être surpris par le Vahki au volant. Après avoir roulé sur le sol pour se mettre à l'abri, ils demeurèrent accroupis jusqu'à ce que le véhicule soit hors de vue. Puis Nokama se leva et regarda aux alentours.

— Un village de constructeurs, constata-t-elle, bien que cela fût évident.

Le village consistait en une large avenue bordée de bâtiments. Des machines, des statues et des meubles à moitié terminés étaient éparpillés ici et là. C'était une situation tout à fait normale dans un tel endroit, mais les Toa se sentaient quand même énervés.

Le village avait été abandonné; quelques portes claquaient au vent et des outils reposaient là où on les avait laissé tomber. Vakama plissa les yeux en remarquant des sphères argentées empilées près d'un bâtiment.

Il se passe quelque chose de mauvais-bizarre ici, se dit Matau.

— Il y a quelqu'un? cria-t-il.

Aucune réponse.

Intrigué, le Toa de l'air se tourna vers Nokama.

— On dirait qu'ils ont tous filé-déguerpi, dit-il.

— Les constructeurs n'abandonnent pas leur projet sans raison valable, fit remarquer la Toa de l'eau.

— Alors où sont-ils tous passés? demanda Vakama.

Soudain, Krekka surgit d'un bâtiment en lançant des décharges d'énergie vers les Toa Metru.

— Préparez-vous à le découvrir, Toa! mugit-il.

Nokama virevolta en faisant tourbillonner ses lames hydro assez vite pour faire dévier les décharges. Puis les trois Toa plongèrent derrière un bâtiment pour se mettre à l'abri. Ils venaient à peine de toucher le sol que Matau était déjà prêt à reprendre le combat.

— Un héros Toa ne connaît pas la peur! dit-il en s'élançant de nouveau dans la rue.

La décharge que projeta alors Krekka le manqua de peu. Le Toa de l'air nargua son adversaire :

— Tu devras faire beaucoup mieux que ça!

Ce fut Nidhiki qui releva le défi. Émergeant de derrière un bâtiment, il projeta une toile d'énergie sur le Toa. Empêtré, Matau s'écrasa au sol.

— À l'aide! Un Toa a été pris! hurla-t-il en se débattant pour se libérer.

Ayant entendu son cri, Vakama et Nokama filèrent derrière les bâtiments pour aller lui porter secours. Pendant ce temps, Nidhiki et Krekka s'étaient approchés du Toa pris au piège.

— Appel à tous les Toa! cria Krekka. Votre heure a sonné...

Un grondement soudain, qui allait en s'amplifiant, noya le reste de ses paroles. Le sol sous leurs pieds se mit à trembler violemment.

— Un bioséisme? suggéra Vakama.

Un nuage de poussière apparut loin à l'autre bout du village, se dirigeant vers le Toa et les Chasseurs de l'ombre. Bientôt, ils purent distinguer un troupeau de bêtes effroyables, de monstrueux bipèdes se déplaçant avec d'énormes bonds, propulsés par leurs puissantes pattes postérieures. Comme leur mâchoire inférieure était ornée de deux défenses, on aurait dit un mur de pointes qui avançait dans la rue. Les yeux des bêtes étaient d'un rouge flamboyant et des rugissements profonds sortaient de leur gueule tandis qu'elles prenaient le village d'assaut.

— Pire qu'un bioséisme! s'écria Nokama. Des Kikanalo!

Les yeux des Chasseurs de l'ombre s'écarquillèrent à la vue du troupeau fonçant sur eux. Les Kikanalo étaient célèbres pour leurs courses affolées, mais on les tolérait parce qu'il arrivait souvent que leurs défenses pointues mettent au jour des morceaux de protodermis qui étaient restés des projets de sculpture. Mais pour le moment, ce n'était pas leur efficacité comme recycleurs que tous avaient en tête.

— Je déteste ces choses! lança Krekka.

Avec une vitesse étonnante, compte tenu de sa forme massive, il grimpa vers le sommet d'une tour avoisinante.

— Moi, je m'en vais! gronda-t-il.

— Non! s'écria Nidhiki. Tu dois rester en bas!

Mais Krekka ne voulait pas écouter et Nidhiki n'avait pas le temps de se préoccuper de son sort. Le troupeau approchant dans un bruit de tonnerre,

Nidhiki se dépêcha de plonger dans une fosse de construction.

Matau réussit à se redresser, mais le martèlement des pattes des Kikanalo le projeta dans les airs. Il atterrit violemment près de Vakama et Nokama, qui s'empressèrent de le prendre chacun par un bras, puis de filer jusque dans un petit bâtiment.

Les Kikanalo étaient maintenant arrivés près de la tour où était juché Krekka. D'un mouvement presque décontracté, quelques-unes des bêtes éperonnèrent la tour au moyen de leurs défenses et la firent basculer. Nidhiki leva les yeux juste à temps pour voir son partenaire et la structure qui tombaient droit sur lui.

— La prochaine fois, écoute-moi, marmonna-t-il.

Nokama vit Krekka s'écraser sur Nidhiki. À l'aide de ses lames hydro, elle coupa l'attache qui retenait une pile des étranges sphères argentées et les fit rouler en direction du fossé. Au moment où les sphères heurtaient les Chasseurs de l'ombre, elle tourna les talons et rentra dans le bâtiment.

Matau et Vakama regardaient les Kikanalo piétiner et réduire en pièces les huttes des constructeurs.

— On devrait filer-déguerpir, conseilla le Toa de l'air.

— Pourquoi? répliqua Nokama. C'est la structure la

plus solide de tout le village.

— Nokama… commença Vakama.

— Nous restons! l'interrompit la Toa de l'eau.

Soudain, trois Kikanalo bondirent sur le toit du bâtiment et l'enfoncèrent. Se sentant prises au piège, les bêtes paniquèrent et se mirent à sauter dans tous les sens, heurtant les Toa encore et encore. Dans un geste désespéré, Matau attrapa Nokama et Vakama, les projeta par la fenêtre et plongea derrière eux.

Il s'en était fallu de peu. Derrière eux, le bâtiment explosa, réduit en miettes par les coups répétés des Kikanalo furieux. Enfin libres, les bêtes bondirent vers le reste du troupeau.

Nokama se tourna vers Matau.

— J'ai eu tort, dit-elle. Tu avais raison, mon frère.

— C'est fou ce que tu peux apprendre quand tu n'es pas en train de donner des leçons-cours, rétorqua Matau.

Voyant d'autres Kikanalo qui s'approchaient, les Toa prirent leurs jambes à leur cou, mettant ainsi fin à la discussion. Ils arrivaient à peine à devancer les bêtes, dont les défenses fouettaient l'air tout près d'eux. Le chef était un Kikanalo très âgé, dont la peau portait d'étranges marques et de vieilles cicatrices. Il renifla impatiemment en tentant de rattraper les Toa Metru.

— Qu'est-ce que tu as dit? demanda Nokama à Matau.

— Je n'ai rien...

Matau s'arrêta net au milieu de sa phrase. Le masque de Nokama s'était illuminé, mais la Toa de l'eau ne semblait pas l'avoir remarqué.

— Ton masque brille! s'exclama-t-il.

Nokama fit alors la chose la plus étonnante, la plus surprenante que Matau eût pu imaginer dans les circonstances : elle arrêta de courir. Elle s'immobilisa tout simplement, malgré la proximité du troupeau de Kikanalo.

— Nokama! hurla Vakama.

La Toa ne lui porta pas la moindre attention. Elle se retourna vivement pour faire face aux bêtes qui se ruaient vers elle, comme si elle n'avait rien à craindre. Vakama et Matau tressaillirent, convaincus que le troupeau allait piétiner la Toa. Le chef Kikanalo émit un grognement furieux en s'approchant de Nokama.

La Toa de l'eau répondit aussitôt avec un son semblable. La bête s'arrêta, ahurie, alors que ses défenses étaient à quelques centimètres à peine du masque de la Toa. Les autres bêtes l'imitèrent, non dans la confusion, mais comme une brigade de Vahki bien disciplinés.

Les cicatrices du vieux Kikanalo se mirent à briller et il grogna agressivement vers la Toa qui se tenait debout devant lui. Nokama le fixa dans les yeux tandis qu'un monde nouveau s'ouvrait à elle.

Se tournant vers ses compagnons, elle dit avec excitation :

— Frères… le pouvoir de mon masque! Le chef veut savoir pourquoi nous sommes des alliés des Chasseurs de l'ombre.

Vakama n'en revenait pas. Est-ce que Nokama pouvait réellement comprendre ce que ces bêtes disaient? Ou est-ce que les visions de Vakama avaient finalement eu raison de lui et l'avaient rendu fou? Non, tout cela était réel. Son corps le faisait véritablement souffrir comme il le devait après avoir été lancé dans la rue par une fenêtre.

— Dis-lui qu'il n'en est rien, dit-il à Nokama. Nous recherchons un ami que les Chasseurs ont enlevé.

Fixant de nouveau le chef Kikanalo, elle émit, tel un animal, une série de grognements et de reniflements. Le chef des bêtes lui répondit de la même manière, son attitude semblant s'adoucir.

— Alors, vous êtes libres de circuler, traduisit Nokama, puisque nos deux groupes en ont contre les Chasseurs qui saccagent la beauté du territoire des troupeaux.

— Beauté? Où ça? demanda Matau à Vakama. Et qui savait que les Kikanalo pouvaient penser-parler? Moi qui croyais qu'ils étaient tout simplement des bêtes stupides.

Le chef Kikanalo grogna. Nokama étouffa un rire, puis répéta ce qu'il avait dit :

— Les Kikanalo pensent la même chose du grand Matoran vert.

— Grand Matoran? fit Matau, abasourdi. Je suis Toa!

— Attends! interrompit Vakama qui arrivait à peine à contenir son excitation. Un grand Matoran? Demande-lui si les Chasseurs de l'ombre sont passés sans autorisation avec un « grand Matoran ».

Nokama hocha la tête et traduisit la question de Vakama dans le langage des Kikanalo. La bête répondit par un grognement.

— Oui, confirma Nokama. Ils apportent beaucoup de choses à « l'édifice des chuchotements éternels ».

— C'est sûrement l'endroit où ils ont emmené Toa Lhikan! lança Vakama.

Le chef Kikanalo renifla comme pour signifier son accord.

— Ils vont nous montrer le chemin, traduisit Nokama.

* * *

Les trois Toa traversèrent les plaines de Po-Metru, à dos de Kikanalo. Derrière eux, le reste du troupeau suivait de près. Pour la première fois, Vakama ressentait de l'espoir. S'ils parvenaient à trouver Lhikan et à le sauver, ils pourraient sûrement arrêter Dume. Le Toa du feu n'avait aucune idée des plans du Turaga. Il ne savait pas non plus pourquoi il s'était retourné contre la cité, mais il était certain que Toa Lhikan pourrait arranger les choses.

Matau, lui, souriait. C'était le genre d'aventure dont il avait toujours rêvé pendant ses longues journées à conduire les crabes Ussal à travers Le-Metru. Des endroits nouveaux, de nouvelles émotions fortes, une quête pour sauver un héros capturé... c'était cela être un héros Toa! En riant, il se mit debout sur le dos du Kikanalo et commença à tournoyer.

— Seul un grand cavalier Toa peut dompter un Kikanalo-bête sauvage! proclama-t-il.

Aussitôt, le Kikanalo s'arrêta et se cabra, faisant voler Matau dans les airs. Le Toa atterrit durement sur le sol.

— On dirait que c'est le « grand cavalier Toa » qui a été dompté, le taquina Nokama.

Vakama et elle sourirent à la vue de Matau couché

sur la plaine, sans savoir qu'il s'écoulerait beaucoup de temps avant que l'un et l'autre puissent de nouveau sourire.

Whenua avait vécu presque toute sa vie dans la lumière tamisée, quelquefois même dans la noirceur quasi totale. Comme tous les Onu-Matoran, il pouvait voir dans la pénombre, car ses yeux s'y étaient adaptés à la longue. Bien que la plus grande partie d'Onu-Metru fût à la surface, les Onu-Matoran préféraient travailler dans les niveaux souterrains des Archives, car leurs yeux sensibles ne pouvaient pas endurer l'éclat des deux soleils.

Pourtant, rien n'avait préparé Whenua à la tâche qu'il devait exécuter maintenant : essayer de se déplacer dans une petite cellule, les yeux bandés. Il heurtait sans cesse les murs et les autres Toa, et sentait que sa colère allait atteindre le point d'ébullition plus rapidement que le protodermis dans un fourneau de Ta-Metru.

Le mystérieux Turaga n'aidait pas les choses.

— Ne te fie pas à ta mémoire, conseilla-t-il. Cherche au-delà de ton histoire et vois ce qui existe.

Chercher au-delà de son histoire? Whenua avait été un archiviste; il ne vivait que pour l'histoire! Dire à un Onu-Matoran d'oublier le passé était comme dire à un Ko-Matoran de ranger son télescope et d'être un peu moins sérieux.

— Je ne suis pas une chauve-souris Rahi! fit Whenua d'un ton sec. Je ne peux pas voir dans le noir.

Sans faire de bruit, le Turaga glissa une chaise devant le Toa de la terre. Whenua buta contre elle et tomba.

Onewa, assis sur le sol de pierre, avait observé l'exercice. Il éclata de rire.

— Bientôt tu seras capable de fixer, du premier coup, la queue sur l'ours de cendre, archiviste... Tu sais ce jeu qu'affectionnent les jeunes Matoran?

De l'autre côté de la pièce, Nuju avait passé les dernières heures à déplacer des pierres d'une grosse pile à une autre. C'était un travail exténuant, d'autant plus qu'il n'en voyait pas l'utilité. Comment le fait de traîner des pierres ferait-il de lui un meilleur Toa?

— Je pourrais me tuer à cette tâche, sans avoir jamais rien appris qui me soit utile pour l'avenir, se plaignit le Toa de la glace.

— Tu pourrais apprendre que la construction de la tour la plus noble commence avec la pose d'une seule pierre, fit observer le Turaga en secouant la tête.

Onewa laissa échapper un petit rire.

— Construire une tour? Un penseur ne toucherait jamais à une pierre. Ces Matoran sont tous trop occupés à observer les étoiles.

Le Turaga se tourna vers Onewa en souriant.

— Le devoir d'un Toa est d'aider tous les Matoran, peu importe leur metru. Alors tu vas aider tes deux frères.

Le sourire d'Onewa s'évanouit, pour être remplacé par une mine renfrognée. Le Turaga tendit les mains vers lui; dans l'une, il tenait une pierre et dans l'autre, un bandeau.

L'aube pointait sur Po-Metru. Pendant que la lumière des deux soleils commençait à baigner les canyons, Matau, Nokama et Vakama, allongés sur une corniche, scrutaient les alentours. Cet endroit les inquiétait, eux qui étaient habitués aux foules et aux bâtiments tout en hauteur de leur metru. Sans végétation et en grande partie inhabités, les lieux frappaient surtout par la façon dont l'écho émanait du canyon. On aurait dit qu'un millier de voix parlaient en même temps, mais trop bas pour qu'on puisse comprendre ce qu'elles disaient.

Le chef Kikanalo grogna.

— C'est l'édifice des chuchotements éternels, traduisit Nokama.

En contrebas, vingt Vahki Zadakh de Po-Metru gardaient l'une des entrées d'Onu-Metru. Puissants et agressifs, ils ne reculeraient pas devant un combat les opposant à un millier de Toa, encore moins trois. Pire, une seule décharge de leurs outils rendait la victime si influençable qu'elle acceptait les ordres de n'importe qui. Quiconque était touché par l'une de ces décharges pouvait se retourner instantanément contre ses amis.

— Ils sont trop nombreux pour que nous nous lancions à l'attaque, fit remarquer Nokama.

— J'ai un plan, dit Vakama. Nous pourrions peut-être…

Onewa avait encore plus de mal que Whenua à se déplacer, les yeux bandés. Les sculpteurs de Po-Metru devaient se fier à leurs yeux et ils étaient habitués à travailler dans la lumière vive des soleils. Pour Onewa, l'obscurité était donc un tout nouveau monde, un monde qu'il n'affectionnait pas particulièrement.

Avançant dans la mauvaise direction, il fonça droit sur Whenua. Ce dernier arracha son bandeau et fit face au Turaga.

— Tout cela est une perte de temps, rien de plus!

s'écria-t-il, irrité.

— Si vous n'arrivez pas à vous connaître vous-mêmes, vous ne découvrirez jamais votre destinée, répliqua le Turaga avec calme. C'est le devoir de chaque Toa envers le Grand esprit.

— On en reparlera des devoirs des Toa, marmonna Whenua.

Onewa retira, lui aussi, son bandeau. Étrangement, il ne paraissait ni fâché ni contrarié d'avoir participé à l'exercice.

— Assieds-toi, Whenua, dit-il.

Le Toa de la terre se retourna brusquement pour lui faire face.

— Obéir aux ordres d'un Turaga, ça passe, mais pas à ceux d'un vulgaire balanceur de marteaux!

Pendant un moment, les deux Toa se toisèrent. Puis le masque d'Onewa se mit à rayonner. Les yeux de Whenua brillèrent à leur tour, reflétant le Masque du pouvoir de l'autre Toa. Whenua tenta de faire un pas en avant, mais se rendit compte que ses pieds ne lui obéissaient plus. Une seconde plus tard, il tombait lourdement par terre comme une marionnette à laquelle on aurait coupé ses ficelles.

— C'en est trop! grogna-t-il, écumant de rage. Je ne comprends pas comment tu as fait ça, mais tu es fini, constructeur de malheur!

Whenua essaya de se relever et d'allonger les bras pour saisir Onewa. Nuju fronça les sourcils devant le spectacle des Toa se battant entre eux.

— Arrêtez ça tout de suite! lança-t-il d'un ton sec.

Le masque du Toa de la glace brillait maintenant, lui aussi. Soudain, de grosses pierres se détachèrent de l'un des murs de la cellule et volèrent rapidement à travers la pièce, formant bientôt un mur entre Onewa et Whenua. Elles laissèrent aussi un grand trou dans le mur, parfait pour une évasion.

Les trois Toa restaient plantés là, stupéfaits. Puis Nuju et Onewa prirent la parole en même temps.

— Ton masque brille... le pouvoir de ton masque!

Le Turaga fit un geste en direction du trou dans le mur.

— Je crois que l'heure est venue de quitter ces lieux, déclara-t-il.

Les Vahki étaient rarement surpris... en fait presque jamais. Après des années passées à dépister et à assujettir des Rahi de toutes sortes, les brigades de maintien de l'ordre avaient appris à gérer presque toutes les situations. Les Vahki avaient même dû, à l'occasion, déjouer les tentatives ingénieuses de

Matoran qui cherchaient à prendre des vacances non prévues. On pouvait donc dire, sans risquer de se tromper, que les Vahki avaient tout vu.

Mais leurs récepteurs visuels s'élargirent à la vue de Nokama surgissant des collines, à dos de Kikanalo. Les Vahki étaient formés pour dépister, appréhender et pacifier. Ils n'avaient pas l'habitude de voir leur cible venir à eux.

Malgré cela, ils réagirent très rapidement à la folie évidente de la Toa Metru. Une brigade de Zadakh, bâton paralysant en main, s'élança à sa poursuite. Au même moment, une seconde brigade remarqua Matau sur sa bête et le prit immédiatement en chasse. Malgré la vitesse des Zadakh, les Kikanalo, qui connaissaient bien le terrain et étaient beaucoup plus agiles, arrivèrent à les distancer.

Les Vahki n'avaient pas fini d'être surpris : au lieu de continuer à courir, Matau et sa monture pivotèrent soudain, changèrent de direction et se lancèrent à l'attaque.

— Ha! Un Toa ne fuit-file jamais! s'écria le Toa de l'air.

Les Vahki ripostèrent en lançant des décharges de leurs bâtons paralysants, mais le rapide Kikanalo les esquiva en sautant par-dessus ou en les contournant.

La bête ne manifesta pas la moindre intention de s'arrêter et fendit la brigade de Vahki, frappant ses adversaires avec ses pattes puissantes et les projetant dans les airs.

Matau fit un grand sourire en voyant les Vahki tomber de toutes parts. Il se redressa sur le dos du Kikanalo.

— Alors, Kikanalo, qui est ton maî... commença-t-il.

L'énorme bête leva la tête vers lui et émit un grondement d'avertissement. Le Toa de l'air décida que « maître » n'était probablement pas le meilleur terme à utiliser avec une créature qui pouvait disperser des Vahki comme de la poussière de proto dans une tempête de vent.

— Je voulais dire, qui est ton partenaire? se reprit-il en se rassoyant à toute vitesse.

Vakama, lui, avait abandonné son Kikanalo et s'approchait du secteur à pied, en espérant que Nokama et Matau auraient réussi à distraire tous les Vahki et à les éloigner de l'entrée. Mais quand il tourna un coin, il aperçut trois Vahki qui l'attendaient. Leurs bâtons paralysants tirèrent en rafales. Vakama chargea son lanceur et projeta un disque après l'autre pour faire dévier chaque décharge. Il savait toutefois qu'il viendrait à manquer de disques Kanoka bien avant que les Vahki eussent épuisé leur pouvoir.

Ce fut d'en haut qu'on vint à sa rescousse. Le vieux Kikanalo bondit et atterrit entre le Toa du feu et les Vahki. Foudroyant ceux-ci du regard, il laissa échapper un cri long et profond. D'autres Kikanalo surgirent de derrière les rochers et joignirent leurs voix à celle de leur chef. Le son gagna peu à peu en intensité. Pendant un instant, Vakama fut convaincu qu'il était devenu fou; en effet, le cri semblait pénétrer le sol et remuer la pierre.

Non, je ne suis pas fou, constata-t-il. C'était en effet ce qui se passait. Le cri avait produit une vague dans la surface rocheuse de Po-Metru et elle déferlait rapidement vers les Vahki. Elle les frappa comme un coup de foudre, les catapultant dans les airs.

Plus loin, au sommet d'une corniche, Nokama n'en menait pas large. Toujours montée sur le Kikanalo, elle avait été encerclée par ses poursuivants et avait reculé jusqu'au bord de la falaise. Ses lames hydro brillaient au soleil pendant qu'elle faisait dévier les jets paralysants. Si les Vahki étaient frustrés par sa ténacité, ils n'en laissaient rien paraître et continuaient leur avancée.

Nokama n'avait pas besoin de regarder en arrière

pour savoir qu'il suffirait d'un pas du Kikanalo pour que tous deux plongent vers la mort. Elle espérait que le Grand esprit avait aidé Vakama et Matau, et que ses compagnons avaient eu plus de succès qu'elle.

La Toa de l'eau rassembla son courage. Les Vahki chargèrent.

Une fraction de seconde plus tard, la brigade de Vahki au grand complet s'agrippait au bord de la falaise pour éviter de tomber dans le vide. Les Vahki s'étaient avancés à pleine vitesse pour capturer la Toa, mais au moment où ils allaient toucher leur cible, le Kikanalo avait bondi hors de leur portée, haut dans les airs. Incapables de s'arrêter, les Vahki avaient continué leur course. Le Kikanalo, lui, s'était posé lourdement sur le sol.

Les Vahki ne vont pas se laisser prendre deux fois à ce piège, se dit Nokama, tandis que le Kikanalo et elle descendaient la colline. *Ça ne leur arrive jamais. Et ils ne vont pas abandonner non plus. J'espère que les Kikanalo savent quel genre d'ennemis ils se sont faits aujourd'hui.*

Krekka et Nidhiki étaient arrivés juste à temps pour assister à la défaite des Vahki aux mains de Matau et des Kikanalo. Krekka, toujours furieux contre les énormes bêtes, après l'incident dans le village des constructeurs, voulait absolument s'attaquer à elles. Nidhiki avait dû lui expliquer plus d'une fois que leur travail consistait à capturer des Toa, et non des bêtes stupides.

Le Chasseur insectoïde indiqua l'endroit, plus bas, où se tenait Matau, seul sur la plaine rocheuse.

— Fais le tour par la droite, ordonna-t-il.

Krekka hocha la tête et s'éloigna dans la direction indiquée, tandis que Nidhiki prenait à gauche.

Non sans quelques difficultés, Krekka descendit dans le canyon fermé. Il ne comprenait pas pourquoi il était nécessaire de s'approcher furtivement du petit Toa vert. Pourquoi ne pas tout simplement charger et l'attraper? *Ouais,* se dit-il, *c'est ce que je vais faire. Ensuite, je vais le traîner par son masque jusqu'à Nidhiki.*

Matau s'était aventuré derrière des rochers. Krekka sourit et fonça, s'imaginant déjà le Toa en train de le supplier de l'épargner. Mais quand le Chasseur de l'ombre atteignit les rochers, il constata que ce n'était pas Matau qui attendait là, mais son partenaire.

— Nidhiki? demanda Krekka, déconcerté. Où est passé le Toa?

— Tu dois l'avoir laissé s'échapper, répondit l'autre d'un ton sec. Refais le tour en passant de l'autre côté.

Krekka s'éloigna. Il n'arrivait pas à comprendre comment Matau avait pu se rendre derrière ces rochers, puis disparaître. Il aurait été encore plus déconcerté s'il avait regardé par-dessus son épaule et aperçu un second Nidhiki avançant dans le canyon.

Quand ce Nidhiki-là atteignit les rochers, il vit ce qu'il croyait être Krekka, se tenant là, à ne rien faire.

— Où est le Toa? demanda Nidhiki.

Krekka haussa les épaules.

— Tu l'as laissé filer?

— Peut-être est-ce toi qui l'as laissé s'échapper, grommela Krekka.

Nidhiki tourna les talons en marmonnant quelque chose à propos des Chasseurs de l'ombre qui n'étaient pas assez intelligents pour descendre des éboulis et s'approcher en douce. Lorsque Nidhiki eut disparu, le « Krekka » à qui il venait de parler se transforma en Matau, dont le masque rayonnait, illuminé par son pouvoir Toa.

— L'illusion! s'exclama le Toa de l'air. Ça, c'est un pouvoir qu'il valait la peine d'attendre!

Matau grimpa sur son Kikanalo et sortit du canyon.

Krekka et Nidhiki s'aperçurent de part et d'autre du canyon et se mirent à crier en même temps.

— Où est le Toa?

— Comment pourrais-je le savoir?

— Tu m'as dit d'aller de l'autre côté!

— Je t'ai dit d'aller de ce côté-là!

Le canyon transforma leurs voix fortes en ces chuchotements éternels pour lesquels il était célèbre. L'écho de leur dispute fut porté très loin.

Le son atteignit même les récepteurs audio des derniers Zadakh, mais ceux-ci étaient trop occupés pour y prêter attention. Des Kikanalo avaient entouré la brigade et s'avançaient, implacables, grondant et soulevant, avec leurs pattes, un énorme nuage de poussière. Pendant un long moment, on ne put rien voir à travers la poussière, et l'air fut rempli des grognements des Kikanalo. Quand le nuage se dissipa, les Vahki étaient empilés les uns sur les autres.

Nokama et Vakama passèrent près d'eux, ce dernier bricolant toujours le Masque de puissance qu'il avait créé avec les Grands disques. Matau ne tarda pas à les rejoindre.

Le chef Kikanalo adressa un grognement à Nokama. La Toa de l'eau descendit de sa monture et se tourna vers les deux autres Toa.

— Le chef dit que c'était pas mal bien... pour

des marcheurs à plat. Ils vont brouiller nos pistes.

Puis elle exprima ses remerciements au grand chef, dans le langage des Kikanalo.

— Sachez que Toa Lhikan vous sera éternellement reconnaissant, dit Vakama au chef.

Matau avait aussi mis pied à terre et s'approchait de son Kikanalo pour lui dire au revoir. Le Rahi réagit le premier et donna un gros coup de langue visqueuse sur le masque du Toa.

— Ouache! s'écria Matau en reculant.

Maintenant que les Vahki avaient été défaits ou dispersés, les Toa pouvaient pénétrer dans la grotte en toute sécurité. Vakama mit de côté le masque auquel il travaillait et alla rejoindre ses compagnons, au moment où ils s'enfonçaient dans les ténèbres. Derrière eux, le troupeau de Kikanalo utilisa ses puissantes pattes pour provoquer un éboulement qui scella la grotte. Ayant ainsi empêché toute poursuite, le troupeau s'éloigna.

Aucune des bêtes ne leva les yeux vers le ciel. Si elles l'avaient fait, elles auraient aperçu un faucon Rahi solitaire décrivant des cercles au-dessus du canyon. Après quelques instants, le faucon, nommé Nivawk, tournoya et s'envola en direction du centre de la cité, rapportant des renseignements précieux à Turaga Dume.

Onewa, Whenua, Nuju et leur ami Turaga se penchèrent prudemment par l'ouverture du mur de leur cellule pour jeter un coup d'œil à l'extérieur. Ils s'étaient attendus à voir les plaines désertiques de Po-Metru, mais, selon toute apparence, ils en étaient encore très loin. Leur cellule se trouvait à l'intérieur d'une immense grotte souterraine et reposait sur sa propre île, au milieu d'une mer de sable. Fait encore plus étrange, la caverne était vide; aucune patrouille, aucun Rahi prêt à pourchasser les fuyards. Personne.

— Pourquoi n'y a-t-il pas de gardes Vahki? demanda Onewa.

Le silence le rendait nerveux. Le Toa de la pierre avait l'impression que le danger était encore plus grand, maintenant qu'ils allaient sortir de leur cellule.

Le Turaga ne fut pas très rassurant.

— Leur présence n'est peut-être pas nécessaire, répondit-il.

Une évasion n'en est pas une si on ne quitte pas sa

cellule. Les quatre prisonniers se glissèrent donc par l'ouverture et se mirent à marcher péniblement sur les dunes de sable. C'était un exercice difficile pour les Toa : à cause de leur taille, leurs pieds s'enfonçaient profondément dans le sable.

Ils avançaient depuis peu lorsqu'ils constatèrent que le sable devant eux commençait à bouger. Ce qui n'avait d'abord été qu'un déplacement de grains de sable à peine visible se transforma rapidement en une énorme dune fonçant droit sur eux, avec un grondement monstrueux.

— Maintenant, je sais pourquoi il n'y a pas de gardes! s'exclama Nuju en prenant, comme les autres, ses jambes à son cou.

Mais les Toa et le Turaga ne pouvaient pas courir assez loin ni assez vite pour semer ce qui les poursuivait.

Soudain, une forme massive surgit du sable derrière eux. L'énorme bête cornue, semblable à un ver, était connue sous le nom de trolleur. C'était une des créatures les plus redoutées à Po-Metru. Elle vivait dans les profondeurs du sable, et n'en sortait que de temps à autre pour se nourrir. Aucun Po-Matoran n'était resté assez longtemps près d'un trolleur pour découvrir de quoi il se nourrissait. Mais sa gueule béante était assez grande pour engloutir tout un quadrilatère d'un metru.

Onewa sentit l'haleine chaude et fétide du trolleur dans son dos. Jetant un coup d'œil par-dessus son épaule, il vit que les mâchoires de la bête étaient sur le point de se refermer sur lui. Tout à coup, son Masque de puissance se mit à briller une fois de plus.

Loin au-dessus du Colisée, Nivawk décrivit un, deux, trois cercles, puis descendit en piqué. Le faucon Rahi se posa sur son perchoir, dans la pièce au cadran solaire.

— Tu as des nouvelles, Nivawk? demanda Turaga Dume.

Le grand oiseau poussa des cris rauques et perçants, s'adressant à Dume dans un langage que ce dernier maîtrisait depuis très longtemps. Le faucon lui rapporta que Vakama, Matau et Nokama avaient défait les gardes Vahki et qu'ils étaient entrés dans la caverne où se trouvait la prison.

Turaga Dume se dirigea aussitôt vers l'endroit le plus sombre de la pièce. Deux yeux rouges le fixaient au milieu des ténèbres.

— Ce masque a été utile, murmura Dume. Il va maintenant exécuter sa dernière tâche.

Le Turaga fit un pas en avant dans l'obscurité. Rien ne l'empêcha d'avancer puisqu'il n'y avait personne d'autre dans la pièce… seulement un miroir sombre, dont le reflet montrait le véritable visage de Dume. Celui-ci leva le bras et retira son Masque de puissance Kanohi pour révéler celui qui se trouvait en dessous : un Masque des ténèbres, déformé et noirci.

Dume s'était défait de l'apparence du Turaga de Metru Nui, tout simplement en enlevant un autre masque. À la place du sage se tenait un être de noirceur et de destruction, et désormais, l'autorité ultime dans la cité des légendes.

— Personne ne pourra changer notre destinée, grommela la créature sombre.

Le visage de Turaga Dume apparut sur des écrans cinétiques partout dans la grande cité. Les Matoran interrompirent leur travail pour écouter les paroles du sage.

— Matoran de Metru Nui, commença le Turaga, vous êtes tous convoqués au Colisée.

Le trolleur avança lentement jusqu'à la « côte » rocheuse de la mer de sable. Il ne bifurqua ni à gauche, ni à droite, même lorsque de petits Rahi croisèrent son chemin. Avec un effort énorme, la bête s'échoua et ouvrit sa gueule comme pour bâiller.

Trois Toa et un Turaga en émergèrent en haletant. Whenua se tourna vers Onewa.

— Très beau travail, mon frère, déclara-t-il. Mais la prochaine fois, contrôle la pensée de quelque chose qui a meilleure haleine.

Devant eux, un tunnel s'ouvrait sur la sablière. Aucun d'eux ne savait où ce tunnel allait les mener, mais ils voulaient quitter les lieux avant qu'une patrouille de Vahki vienne y faire sa ronde. Ils n'avaient pas d'autre choix que de se risquer dans les ténèbres.

Au moins, se dit Onewa, *on n'a pas besoin d'aller là sans nos outils.* En effet, tout leur équipement avait été empilé de façon ordonnée près de l'entrée du tunnel, y compris un objet compact dont s'empara le Turaga. Onewa se réjouit de retrouver ses proto-pitons et se promit que personne ne lui enlèverait plus jamais ces symboles de sa puissance Toa.

Nuju, debout dans l'ouverture, se retourna.

— Devant, tout est sombre, observa-t-il.

— Ce sera toujours mieux que ce qu'il y a derrière nous, fit Whenua.

Le Toa de la terre fit un pas dans le tunnel… et s'arrêta aussitôt, surpris. Il y faisait tout à coup aussi clair qu'en plein jour! Comment était-ce possible? Il ne pouvait voir aucune pierre de lumière et il était certain qu'aucun des autres Toa n'en avait.

Il se retourna pour s'en assurer. Ses compagnons tressaillirent comme s'ils étaient éblouis. Whenua se rendit compte que tous étaient totalement illuminés. C'était son masque! Son masque brillait et éclairait la voie devant lui!

— Le pouvoir de ton masque, dit Onewa.

— Allons-y! répliqua Whenua, tout souriant. Notre avenir semble soudain beaucoup plus brillant.

Ensemble, les trois Toa et le Turaga pénétrèrent dans le tunnel. La noirceur s'effaçait devant eux. Peut-être était-ce un bon présage...

Ils marchaient depuis quelque temps dans un étrange tunnel, flanqué de portes, lorsqu'un bruit léger leur parvint de l'autre côté d'un tournant abrupt. On aurait dit du métal frottant contre de la pierre. Whenua fit signe à ses compagnons de ne pas bouger pendant qu'il allait jeter un coup d'œil.

Le Toa de la terre tourna le coin et fonça droit sur un Vahki qui arrivait en sens inverse. L'éclat du masque de Whenua aveugla le garde et le Toa en profita pour attaquer. Whenua s'attendait, grâce à son pouvoir, à prendre facilement le dessus sur le Vahki, mais son adversaire semblait posséder, lui aussi, une force hors du commun.

Tout à coup, le Vahki fit une chose tout à fait inattendue : il parla.

— Eh! Éteins tes projecteurs-phares!

Stupéfait, le Toa de la terre lâcha prise. Les Vahki ne pouvaient pas parler... et cette voix lui était très familière.

— Matau?

Le Vahki sourit – une autre chose que les Vahki ne faisaient jamais – puis se métamorphosa en Toa de l'air.

— Toa Matau pour vous servir, mon frère, lança-t-il.

Les Toa enfin réunis se saluèrent et relatèrent brièvement les aventures qui les avaient menés dans les tunnels. Seul Vakama se tenait à l'écart, hésitant à participer à la célébration.

— L'illusion? demanda Whenua à Matau.

— Ouais, répondit le Toa de l'air. Et tu devrais entendre Nokama traduire le langage des Kikanalo.

— Alors, nous avons tous découvert les pouvoirs de nos masques.

Personne ne remarqua que Vakama avait baissé la tête en entendant la remarque de Whenua. Nuju se tourna vers Nokama.

— Comment saviez-vous que nous serions ici?

— Nous ne le savions pas, répondit la Toa de l'eau. Nous cherchions Toa Lhikan.

— Toa Lhikan n'est pas ici, fit Onewa en secouant la tête.

Le Turaga fit un pas en avant.

— Pas exactement.

Tous les yeux se fixèrent sur la petite forme du Turaga tandis qu'il retirait sa cape. Pour la première fois, les autres virent qu'il portait le même masque que Lhikan. Dès lors, ils surent – malgré sa stature réduite et son pouvoir plus faible – qu'il s'agissait bien de...

— Toa Lhikan? s'exclama Vakama, étonné.

— Non, répondit le Turaga en souriant. Toi, tu es un Toa. Moi, je suis Turaga Lhikan.

— Pourquoi ne nous avez-vous pas dit qui vous étiez? demanda Whenua.

— Votre tâche consistait à découvrir qui *vous* étiez, répliqua Turaga Lhikan. Ce n'est qu'une fois cette connaissance acquise que vos pouvoirs allaient se révéler.

— Doucement-pas si vite! dit Matau. Où est...?

— ...mon pouvoir? termina Lhikan à sa place. Il se perpétue... dans chacun de vous.

Voyant Vakama se détourner, Turaga Lhikan s'adressa directement à lui.

— Dis-moi, Vakama, le cœur de Metru Nui est-il en sécurité?

— Euh... nous sommes en train de vous secourir, répondit Vakama, qui ne comprenait pas très bien le sens de la question.

— Tu fais erreur, Toa Vakama, soupira Lhikan. Je ne suis pas le cœur de Metru Nui. Les *Matoran* le sont. Et nous devons les sauver avant qu'il soit trop tard.

Nokama se tourna vers le Toa du feu.

— Vakama? fit-elle.

— J'ai encore manqué à mes devoirs, dit Vakama à Lhikan.

En voyant l'inquiétude dans le visage de Nokama, il lança d'un ton sec :

— Je t'ai bien dit que j'étais un bon à rien qui poursuivait ses rêves et gaspillait le temps de tout le monde! Je ne suis pas un Toa! Je ne suis même pas un bon fabricant de masques.

La discussion fut interrompue par le bruit de pas avançant en cadence dans les tunnels. Il n'était pas nécessaire de posséder la sagesse d'un Turaga pour deviner de qui il s'agissait.

— Les Vahki! s'exclama Matau. Fuyons maintenant! On parlera plus tard.

Le groupe s'engouffra dans une galerie secondaire,

Vakama fermant la marche. Ils passèrent plusieurs énormes portes, du genre que l'on voyait normalement dans les Archives. Aucun d'entre eux ne savait à quoi elles pouvaient bien servir à Po-Metru.

Nokama s'arrêta pour attendre que Vakama la rattrape. Lhikan secoua la tête et lui fit signe de continuer avec les autres.

— Nous ne pouvons pas aider Vakama, lui dit-il. Il faut qu'il reconnaisse la dignité dans sa propre image. C'est à ce moment-là seulement que sa destinée se révélera à lui.

Derrière eux, Vakama s'arrêta brusquement. Il avait remarqué quelque chose qui avait échappé aux autres Toa, quelque chose d'étrangement familier. Il s'agissait d'une sphère argentée, comme celles qu'il avait vues dans le véhicule Vahki.

Vakama essuya la poussière qui s'était accumulée sur la sphère et l'ouvrit. Le couvercle se souleva avec un sifflement hydraulique, et à l'intérieur...

— Turaga Dume? s'étonna Vakama, secoué jusqu'au plus profond de son être.

Il n'y avait aucun doute... c'était bien le Turaga, sans son masque, dormant dans la sphère. En son for intérieur, Vakama savait que ce n'était pas un sommeil ordinaire et qu'il ne serait pas possible d'éveiller Dume rien qu'en le secouant.

Lhikan regarda Vakama par-dessus son épaule.

— Le *véritable* Turaga Dume. Comme je le craignais, un imposteur porte un masque qui inspire confiance à tous.

Le monde se mit à tourner autour de Vakama. Il s'était rendu compte que le Turaga se comportait d'étrange façon, mais il n'aurait jamais pu soupçonner que... Soudain, une autre vision l'assaillit. *Des centaines de sphères argentées... des yeux rouges sinistres... des chuchotements parlant des catastrophes qui allaient frapper la cité.*

Les autres Toa s'étaient retournés en entendant la nouvelle.

— S'il s'agit de Turaga Dume... fit Onewa.

— Tu ne veux pas vraiment savoir qui contrôle Metru Nui, répliqua Vakama.

Le bruit des pas d'une patrouille Vahki se fit entendre, mais cette fois, provenant d'une autre galerie. Les Toa Metru allaient être coincés entre deux brigades. Whenua regarda tout autour avec désespoir et aperçut enfin leur seule issue de secours.

— Par ici! rugit-il en ouvrant l'une des portes massives.

Les Toa et Lhikan se précipitèrent à l'intérieur, une

fraction de seconde avant l'arrivée des Vahki. Whenua claqua la porte au nez de ces derniers. Mécontents, les Vahki se mirent à la marteler de coups. La porte ne résisterait pas longtemps à leur puissance.

Les Toa examinèrent l'endroit où ils se trouvaient. Il s'agissait d'une pièce de rangement de Po-Metru, dont le sol était jonché d'outils et de sculptures à moitié terminées. Mais la pièce contenait aussi quelque chose qui leur permettrait de recouvrer la liberté, et Matau fut le premier à le remarquer.

— Un véhicule Vahki! s'exclama-t-il.

Le véhicule ressemblait beaucoup à celui sur lequel il était monté avec Nokama et Vakama, mais en plus grand. On aurait dit que ses pattes insectoïdes n'avaient pas bougé depuis une éternité, et l'épaisse couche de poussière qui le recouvrait confirmait cette impression. Mais Matau connaissait très bien ce type de véhicule. Sa durabilité égalait celle des Vahki qu'il transportait.

Le Toa fit un pas en direction du véhicule, mais s'arrêta net en entendant un sifflement qui provenait du coin le plus sombre de la pièce. Les Toa Metru n'étaient pas seuls et ils n'auraient pas pu trouver pire compagnie.

— Des Lohrak! s'écria Turaga Lhikan, au moment

où les hideux serpents ailés sortaient de l'ombre à tire-d'aile.

Leur énorme gueule puissante montrait plusieurs rangées de dents reluisantes, pointues comme des aiguilles.

Les Lohrak étaient des créatures bien connues, et surtout redoutées, de tous les habitants de Metru Nui. Découverts plusieurs années auparavant par des mineurs d'Onu-Metru, les Lohrak s'étaient répandus partout dans la cité. Ils étaient aussi territoriaux et agressifs que visqueux et dégoûtants. Préférant les ténèbres, ces bêtes posaient un grave problème aux archivistes et aux préposés à l'entretien. Chaque metru comptait au moins un Matoran qui pouvait faire le récit terrifiant d'une rencontre avec un Lohrak.

On avait prévenu les travailleurs à qui il arrivait de s'éloigner de leur travail pour aller explorer, que des Lohrak pouvaient se cacher n'importe où. Pendant un certain temps, Turaga Dume avait même déclaré que les créatures étaient une espèce protégée, dans l'espoir de mettre fin aux projets d'excavation qui pourraient déterrer d'autres de ces monstres.

Mais là, c'étaient les Toa qui avaient besoin de protection. Le premier Lohrak se jeta sur Whenua, qui plongea de côté pour l'éviter. D'autres s'enroulèrent autour de Turaga Lhikan et des lames hydro de Nokama. Nuju se servit de ses pointes de cristal pour se débarrasser de deux bêtes qui s'agrippaient à ses jambes.

C'était le chaos total. Les Lohrak descendaient en piqué tandis que les Toa tentaient désespérément de les esquiver et de se regrouper. Pendant ce temps-là, les Vahki s'acharnaient toujours sur la porte. Vakama, Matau et Nuju réussirent enfin à se regrouper pour former une défense unie, mais ils furent aveuglés par l'éclat du masque de Whenua.

— Onewa, essaie de contrôler la pensée de ces choses! lança le Toa de la terre.

Onewa se concentra. Son masque se mit à briller, mais le pouvoir du Kanohi ne ralentit pas l'attaque des Lohrak.

— Ils sont trop nombreux! cria-t-il.

— Alors, essaie autre chose, suggéra Whenua. Nous faisons piètre figure comme Toa.

— Quelqu'un doit prendre le commandement, déclara Lhikan.

Ces paroles effacèrent les doutes qu'avait eus Vakama jusque-là. Lhikan avait raison. Si l'un d'entre eux ne prenait pas les choses en main, leur combat finirait ici même, dans cette pièce de rangement poussiéreuse. Il ne resterait plus personne pour avertir les Matoran, arrêter Dume ou traduire Nidhiki et Krekka en justice.

Je n'avais vraiment rien compris, se dit-il. *Un Toa n'est pas quelqu'un qui ne ressent aucune peur... mais quelqu'un qui sait* maîtriser *sa peur. Un Toa peut avoir des doutes, s'inquiéter, se questionner, tout comme un Matoran. Mais un Toa, lui, doit agir.*

— Vous avez trouvé les pouvoirs de vos masques! cria-t-il aux autres Toa. Mais n'oubliez pas vos pouvoirs élémentaires!

C'était risqué et il le savait. Les Toa avaient épuisé la quasi-totalité de leurs pouvoirs élémentaires dans leur quête des Grands disques. Aucun d'entre eux ne savait combien de temps il fallait pour les recharger. Et si leurs pouvoirs n'étaient pas encore revenus?

Il n'y a qu'une façon de le savoir-découvrir, pensa Matau.

— Le vent! cria-t-il en soulevant ses lames aéro-tranchantes, déclenchant ainsi un coup de vent juste assez fort pour repousser les Lohrak et les éloigner de Nokama, Lhikan, Vakama, Whenua et lui-même.

Nokama suivit son exemple. À l'aide de ses lames hydro, elle projeta un jet d'eau sur Nuju et Onewa, dispersant ainsi les Lohrak qui les retenaient.

— L'eau! s'écria-t-elle d'un air triomphant.

— Il faut les prendre au piège, déclara Vakama.

Aussitôt, Whenua et Onewa se mirent à l'œuvre. Utilisant ses marteaux-piqueurs, Whenua canalisa son pouvoir élémentaire sur le mur. Ses pouvoirs séismiques firent craquer la pierre, créant un trou presque assez grand pour contenir les Lohrak. Onewa, lui, se servit de ses proto-pitons pour élargir l'ouverture et polir la pierre.

Les pouvoirs élémentaires de Vakama n'avaient pas encore repris toute leur vigueur, mais l'outil dont il se servait pour fabriquer des masques put produire suffisamment de chaleur et de flammes pour repousser les créatures vers l'ouverture. Lorsqu'elles furent à l'intérieur, Nuju scella le trou au moyen d'une couche de glace transparente. Derrière la glace, les Lohrak, furieux, faisaient claquer leur mâchoire.

— Nous sommes unis, déclara Vakama. Maintenant, faisons notre devoir.

Derrière lui, la porte se mit à craquer sous les martèlements incessants des Vahki. Ils allaient pénétrer dans la pièce d'une seconde à l'autre, et tout espoir d'évasion serait alors perdu. Il était fort probable que les Toa Metru deviendraient de dociles serviteurs de l'ordre, travaillant avec joie sous le regard vigilant de l'imposteur qui avait pris la place de Turaga Dume.

Les Toa et le Turaga montèrent à bord du véhicule Vahki. Comme Matau s'y attendait, il ne lui fallut que quelques secondes pour le faire démarrer. Mais il y avait un autre problème...

— Notre seule issue est bloquée, fit remarquer Whenua.

Il avait raison, bien sûr : des Vahki furieux frappaient la porte derrière eux et un mur solide se dressait devant.

— Alors nous devons créer notre propre issue, répliqua Vakama d'une voix qui avait gagné en assurance. Allons, notre destinée nous attend!

— Et Turaga Dume? demanda Onewa.

— Il sera en sécurité jusqu'à notre retour, répondit Vakama. Maintenant, allons-y!

Le véhicule Vahki s'élança en avant, Whenua debout sur le capot, avec ses marteaux-piqueurs en position. Matau accéléra et les Toa virent le mur de pierre se rapprocher de plus en plus. Whenua se pencha légèrement en avant, rassemblant ses forces pour le moment où ses marteaux-piqueurs heurteraient la pierre.

Touché! Les outils du Toa de la terre s'enfoncèrent facilement dans la roche, creusant un tunnel de sortie pour le véhicule. Les fuyards venaient à peine de quitter la pièce que la lourde porte céda. Les Vahki se précipitèrent à l'intérieur. Ils regardèrent tout autour, déçus. Où étaient leurs proies? Leurs ordres étaient très précis : appréhender et pacifier. Mais ces Toa se révélaient difficiles à attraper.

Matau dirigea le véhicule vers le haut tandis que Whenua continuait à creuser. Bientôt, ils roulaient sur une rampe légèrement inclinée, en route vers la surface et la liberté.

Matau se tourna vers Nokama, un grand sourire aux lèvres.

— Je nous imagine faisant une promenade-ballade romantique! lança-t-il.

— Et c'est toi qui dis que Vakama a des visions étranges? rétorqua Nokama.

Le véhicule Vahki fut propulsé hors du sol. Matau s'était inquiété de la possibilité de blesser des Matoran quand le véhicule atteindrait la surface, mais il pouvait voir qu'il n'avait eu aucune raison de se faire du mauvais sang. Il n'y avait aucun Matoran en vue.

Nulle part.

Pour la première fois, le Toa de l'air se demanda s'ils n'allaient pas arriver trop tard. Dans les légendes, on dirait des héros Toa qu'ils avaient pris trop de temps pour se porter à la rescousse des Matoran. D'un autre côté, s'ils n'arrivaient pas à temps, il n'y aurait plus personne pour écrire les légendes. Matau enfonça l'accélérateur, et le véhicule fila comme une fusée vers le cœur de la cité.

À l'avant, Whenua s'écroula, exténué. Il n'avait jamais ressenti une fatigue aussi totale et extrême de toute sa vie, mais c'était une bonne sensation. Cela voulait dire qu'il avait accompli son travail, qu'il avait été à la hauteur quand les Toa avaient eu le plus besoin de lui. Peut-être, après tout, allait-il pouvoir effectuer ce travail.

Onewa se pencha en avant.

— Eh, tête brillante! fit-il

Whenua se tourna vers lui, s'attendant à une autre insulte de la part de son compagnon. Mais le Toa de la pierre tendit plutôt la main vers lui en disant :

— Beau travail, mon frère!

Les deux Toa sourirent et se frappèrent les poings.

Plus loin à l'arrière, Vakama s'était de nouveau absorbé dans la fabrication du masque. Sans pouvoir en expliquer la raison, il avait le fort pressentiment que ce masque allait jouer un rôle vital dans leurs efforts pour sauver la cité.

S'il est encore possible de la sauver, se dit-il. *Je ne sais pas qui se fait passer pour Dume, mais il a Nidhiki, Krekka et les Vahki à ses côtés. De plus, les Matoran croient qu'il est le sage de la cité et vont obéir à ses ordres. J'espère seulement que ce ne seront pas les derniers ordres auxquels ils vont se soumettre.*

Les Matoran affluaient vers le Colisée de tous les coins de la cité, sous les récepteurs optiques vigilants des Vahki. La plupart avaient l'air confus, certains étaient inquiets et d'autres encore étaient très heureux de laisser leur travail pendant quelque temps. Tous étaient venus en réponse à l'appel de Turaga Dume. Ils n'avaient aucune idée de ce qui avait donné lieu à l'alerte générale, mais ils étaient convaincus que Dume saurait résoudre le problème, quel qu'il soit. Après tout, il était le Turaga, non?

Le faux Turaga Dume regardait les Matoran entrer en file, sans méfiance. Ils étaient tellement innocents; jamais ils ne seraient capables de faire face à tous les changements qui allaient venir. Mieux valait les mettre à l'abri jusqu'au moment où ils pourraient reprendre le cours de leur vie.

Le « Turaga » se tourna vers l'imposant cadran solaire. Les ombres projetées par les deux soleils avaient commencé à se juxtaposer. En souriant, il jeta un œil sur un Masque de pouvoir Kanohi suspendu au mur, le symbole du Grand esprit Mata Nui.

— Ah, enfin le crépuscule, murmura-t-il. L'aube des ténèbres.

Le véhicule Vahki filait à travers les rues de Metru Nui. Les Toa gardaient le silence, occupés qu'ils étaient à observer leur cité déserte. Les rues, les lieux de travail, les toboggans... tout était désert, comme si personne n'avait jamais habité là. C'était terrifiant et pour le moins impressionnant.

Sur des écrans partout dans la cité, l'image de Turaga Dume flottait comme une ombre, répétant sans cesse les mêmes paroles :

— Tous les Matoran de Metru Nui sont convoqués au Colisée pour une annonce importante.

Vakama se tourna vers Turaga Lhikan.

— Turaga, vous avez dit que je devais « arrêter les ténèbres ». Mais le coucher des soleils n'est pas...

— Ce n'est pas parce que les soleils brillent au-dessus de nous maintenant qu'ils le feront toujours, répliqua Lhikan.

Les Toa levèrent les yeux au ciel. Les deux soleils se rapprochaient l'un de l'autre en décrivant un arc.

— Bien sûr! lâcha le Toa de la terre. La légende des ténèbres éternelles.

— Quand la lumière du Grand esprit disparaîtra, ajouta Nuju.

Nokama comprenait maintenant, et c'était pire que tout ce qu'elle aurait pu imaginer.

— Nous n'avons pas beaucoup de temps! s'écria-t-elle, sans savoir qu'il ne restait déjà plus de temps.

* * *

Les Matoran étaient assis sur leur siège, parlant nerveusement entre eux. Tout à coup, l'immense écran du Colisée s'illumina et le masque de Turaga Dume apparut.

— Matoran, réjouissez-vous, car aujourd'hui, vous allez vivre l'apogée de votre histoire, dit-il d'un ton bienveillant.

Les Matoran se regardèrent, perplexes. Leur confusion augmenta quand des véhicules Vahki entrèrent dans le Colisée, transportant chacun d'innombrables sphères argentées.

Matau tourna brusquement un coin et pesa sur l'accélérateur. Le Colisée se trouvait juste devant, mais l'entrée était gardée par des Vahki.

— Tenez-vous bien! hurla le Toa de l'air.

Les Vahki comprirent trop tard que le véhicule n'allait pas s'arrêter. Surpris, ils plongèrent de côté et le véhicule enfonça le portail du Colisée. Des débris volèrent dans toutes les directions. Matau s'efforça de garder le contrôle tandis que le véhicule dérapait dans l'enceinte.

Allez! s'encouragea-t-il. *Tu es un héros Toa! Tu es une vedette de Le-Metru! Tu peux arrêter-stopper un super-bolide Vahki!*

Il tira sur les commandes d'un coup sec et l'arrière du véhicule fit une embardée à droite avant de s'arrêter enfin en glissant. Mais si Matau s'attendait à des applaudissements des spectateurs Matoran, il s'était trompé. Il n'y avait aucun Matoran dans le Colisée... du moins, aucun de conscient. Abasourdis, les Toa Metru virent les Vahki fermer la dernière des sphères qui contenaient maintenant la population de Metru Nui.

Le Toa de l'air secoua la tête. Ce n'était pas possible. Il n'y avait pas assez de sphères ici pour contenir tous les Matoran. Où se trouvait le reste?

Une voix leur parvint de l'écran géant, mais ce n'était pas celle de Turaga Dume. C'était un son lugubre qui leur donna froid dans le dos. C'était le son des ténèbres et de la peur, de la décadence et de la déchéance, d'une corruption pire que ce que les Toa avait jamais connu. C'étaient les grondements de Rahi sauvages dans la nuit, le sifflement de Rahkshi en colère et le tonnerre qui secouait la terre, le tout entremêlé pour former un seul bruit terrifiant.

— Trop tard, Toa! lança le faux Turaga. Les ténèbres sont arrivées.

Les Toa Metru levèrent les yeux vers l'écran.

« Turaga Dume » leva le bras lentement et retira son masque, découvrant des yeux rouges ardents et un visage que les héros ne connaissaient que trop bien. Ils ne pouvaient pas se méprendre sur la puissance brute qui irradiait du sombre personnage, même sous la forme d'un Turaga. Dans le passé, on lui avait fait confiance, on l'avait même respecté, mais maintenant... maintenant, il était un étranger sorti tout droit des ténèbres.

Turaga Lhikan fut le premier à retrouver l'usage de la parole.

— Makuta! fit-il, médusé. Tu avais juré de protéger les Matoran!

— Je le ferai, affirma Makuta. Quand les Matoran se réveilleront, c'est moi qui serai leur Esprit divin.

Vakama n'en croyait pas ses oreilles. Il savait qu'un complot avait été formé contre les Matoran, il savait que « Dume » était un imposteur, mais il n'aurait jamais imaginé quelque chose d'aussi monstrueux. Comment Makuta, ou quiconque, pouvait-il être tordu et diabolique au point de vouloir prendre la place du Grand esprit Mata Nui?

— La trahison et l'intérêt personnel ne seront jamais des vertus que les Matoran honoreront! cracha le Toa du feu.

Un grondement s'éleva lentement, puis s'amplifia et devint assourdissant. La voix de Makuta, triomphante, se fit quand même entendre dans tout le vacarme.

— Quel courage! s'écria-t-il. Maintenant, accueillez les ténèbres. L'Esprit divin va bientôt s'endormir.

Les Toa et le Turaga levèrent des yeux craintifs vers le ciel. Une ombre passa au-dessus d'eux, éclipsant la lumière. La noirceur s'abattit sur Metru Nui, telle une main gigantesque, pour saisir la cité et l'engloutir dans des ténèbres absolues. Du plein jour, on était passé à la nuit.

Des éclairs fourchus jaillirent des pylônes d'énergie du Colisée. La terre trembla violemment tandis que les murs se fissuraient de toutes parts. Une gigantesque faille apparut dans le sol, s'approchant de plus en plus des héros.

La légende des ténèbres éternelles se réalisait. La fin de tout approchait.

Seuls les Vahki, machines sans âme, ne semblaient pas impressionnés par ce qui se passait autour d'eux. Leurs récepteurs optiques brillant dans le noir, ils se dirigèrent vers le véhicule des Toa. De toute évidence, Makuta avait l'intention de ne rien laisser en plan.

Mais leur propre sécurité était le moindre des soucis des Toa.

— Nous devons trouver les Matoran! hurla Vakama. Whenua!

Whenua hocha la tête et se concentra comme jamais auparavant. Son Masque du pouvoir brillait tout autant qu'un soleil, sa lumière transperçant le sol. Soudain, il put voir à travers la matière solide, jusque dans un entrepôt situé loin sous le Colisée. Des Vahki étaient occupés à empiler des sphères argentés sur d'énormes supports métalliques grimpant jusqu'au plafond.

— Sous le Colisée! lança Whenua.

Le Toa de l'air se jeta sur les commandes de leur véhicule, le propulsant vers les Vahki. Ceux-ci furent projetés en l'air tandis que les Toa se dirigeaient vers un tunnel d'accès au souterrain. L'un des Vahki retrouva ses esprits juste à temps pour bondir et planter ses outils dans l'arrière du véhicule. Lentement, il grimpa vers les sièges où les Toa avaient pris place.

Jetant un coup d'œil derrière elle, Nokama aperçut le visiteur importun. D'un coup rapide de ses lames hydro, elle trancha la section arrière du véhicule. Le Vahki culbuta et disparut.

Makuta actionna des commandes et fit monter la loge de Dume. Les pylônes d'énergie, se pliant à sa volonté, projetèrent leur décharge d'éclairs dans son corps. Il absorba avidement l'énergie brute, jusqu'à ce que la charge devienne trop intense pour la forme frêle d'un Turaga.

Le moment qu'il avait tant attendu – le moment de la transformation – était arrivé.

Le véhicule filait en rugissant dans le tunnel. Soudain, trois Vahki, juchés sur une corniche, sautèrent sur le toit et se mirent à frapper dessus avec leurs outils, tentant d'y créer une ouverture.

À l'intérieur de la cabine, Matau actionna un levier. Les pattes du véhicule s'allongèrent, le soulevant haut dans les airs. Une seconde plus tard, un viaduc arracha les Vahki du toit et les envoya s'écraser sur le sol.

Le véhicule s'arrêta au milieu de l'entrepôt. Lorsque les six Toa en descendirent, ils virent une scène horrifiante. Les sphères argentées formaient de hautes piles tout autour d'eux. Chacune contenait un Matoran qui, peu de temps auparavant, s'amusait, travaillait et riait.

Nokama jeta un coup d'œil à l'intérieur d'une des sphères. Le Matoran dormait d'un sommeil qui n'était pas naturel, les yeux éteints et la lumière de son cœur émettant une faible pulsation. Il était toujours vivant, mais emprisonné dans un coma qui, pour autant que le savaient les Toa, pouvait être éternel.

— Pouvons-nous les sauver tous? demanda-t-elle.

— Le temps nous manque, répondit Vakama. Mais si nous en sauvons quelques-uns, c'est l'espoir pour tous qui sera sauf.

Les Toa s'empressèrent de charger six sphères dans le véhicule tout en guettant la porte pour ne pas se faire surprendre par des Vahki. Ils ne pouvaient pas savoir ce qui se passait plus haut, mais ils savaient, au plus profond d'eux-mêmes, que Makuta ne les laisserait pas s'enfuir sans faire quelque chose pour les arrêter.

— Allons mettre ces sphères en lieu sûr, dit Vakama.

Tout en haut, au-dessus du Colisée, Makuta régnait maintenant en être suprême. Sa forme frêle de Turaga avait été remplacée par un tourbillon d'énergie noire. Les pylônes continuaient à projeter des éclairs dans sa nouvelle forme, la nourrissant de la puissance dont il avait besoin. Les yeux rouges de Makuta brillaient au centre des ténèbres.

Nivawk décrivait des cercles autour du tourbillon en faisant attention de ne pas trop s'approcher, mais une vrille noire d'énergie pure en jaillit soudain et l'entraîna dans la sombre masse tourbillonnante.

* * *

Dissimulé par l'obscurité, le véhicule Vahki accéléra pour s'éloigner du Colisée. Des séismes secouaient la cité et Matau devait faire de grands efforts pour maintenir le véhicule sur la route de Ga-Metru. Tout autour du véhicule, des tours s'écroulaient, et des toboggans se déformaient et tombaient.

Soudain, Krekka et Nidhiki, qui étaient en mode vol, surgirent près du véhicule et, avant que les Toa puissent réagir, ils reprirent leur forme normale et sautèrent à bord. Krekka saisit Matau, essayant de lui enlever le contrôle du véhicule.

— C'est le temps de changer de conducteur! beugla le Chasseur de l'ombre.

Nidhiki, lui, ignora les Toa et se dirigea tout droit vers Lhikan, les yeux remplis de haine.

— Que tu sois Toa ou Turaga, Lhikan, tu connaîtras le même sort, grommela-t-il.

Il projeta une toile d'énergie vers le Turaga, mais, à sa grande surprise, elle ralentit, puis s'arrêta dans les airs. Tout près, le masque de Nuju brillait, car le Toa avait utilisé son pouvoir de télékinésie pour arrêter le filet.

À son tour, Onewa concentra son pouvoir du contrôle de la pensée sur Krekka pour s'emparer du corps du Chasseur de l'ombre. Sous l'ordre d'Onewa, Krekka virevolta et attrapa Nidhiki.

— Qu'est-ce que tu fais? hurla Nidhiki.

— C'est moi qui vais répondre à cette question, marmonna Onewa.

Une autre pensée, et Krekka sauta du véhicule, entraînant Nidhiki avec lui.

Lhikan sourit et frappa de son poing celui d'Onewa.

Nidhiki et Krekka secouèrent la tête, essayant de se remettre de leur chute. Krekka ne comprenait pas comment ils avaient pu se retrouver sur la route. Quelques instants plus tôt, il se battait avec le Toa vert et avait le dessus, et voilà que maintenant, il se retrouvait par terre.

Aucun des deux ne remarqua les anneaux d'énergie noire qui s'approchaient. Soudain, l'ombre les entoura, les entraînant vers le Colisée et un destin inconnu.

Matau s'engagea sur le pont menant à Ga-Metru. Le Toa de l'air faisait de son mieux pour se concentrer sur la tâche à accomplir et ne pas porter attention aux dommages causés à sa cité bien-aimée.

— J'ai toujours cru que tout cela existerait à jamais, dit tristement Nokama.

— Parfois, il est préférable de ne pas regarder en arrière, conseilla Whenua. Seulement droit devant.

— Droit devant ne semble pas prometteur non plus, fit observer Nuju.

En effet, des centaines de Vahki se tenaient au milieu du pont que le véhicule traversait. Vingt d'entre eux étaient alignés d'un parapet à l'autre, bloquant complètement le passage.

— On va où maintenant? demanda Matau.

— Notre avenir est ailleurs qu'à Metru Nui, déclara Vakama, qui s'était remis à son travail et perfectionnait son Masque de pouvoir.

Matau hocha la tête. Il n'était pas certain de bien comprendre, mais il savait qu'il n'y avait qu'une seule façon sûre de quitter le pont.

— J'espère seulement que tu es guidé par le Grand esprit, grommela-t-il, parce que c'est complètement fou-dément!

Le Toa de l'air fit un virage à quatre-vingt-dix degrés et fonça droit sur le garde-fou. Les Toa se cramponnèrent là où ils le pouvaient, incapables de croire à ce qui allait se produire. Dans une dernière accélération fulgurante, le véhicule fracassa le garde-fou et plongea dans les eaux tumultueuses.

Les Vahki s'attroupèrent près du garde-fou défoncé et regardèrent en bas. Aucun signe des Toa ni des débris du véhicule. Les Vahki ne pouvaient voir que les vagues s'écrasant contre les appuis du pont, comme si elles espéraient faire basculer la structure.

Puis quelques bulles apparurent à la surface, suivies du véhicule lui-même, toujours intact. Les six sphères que les Toa y avaient attachées l'avaient aidé à remonter à la surface.

— Nous les avons sauvés, fit remarquer Nokama en montrant les sphères qui contenaient les Matoran endormis. Et ils nous sauvent à leur tour.

Nidhiki et Krekka ne comprenaient pas du tout ce qui se passait. N'avaient-ils pas servi fidèlement Turaga

Dume? Même quand ils avaient découvert que celui qu'il servait n'était pas vraiment Dume, ils lui avaient obéi sans poser de question. Pourquoi, alors, étaient-ils maintenant attirés vers le centre d'un tourbillon de ténèbres?

— Le temps est venu de tenir vos promesses, mes capitaines, dit Makuta au moment où les deux créatures disparaissaient dans la noirceur vibrante. Car cela est votre devoir éternel.

Ses pattes insectoïdes lui servant d'avirons, le véhicule Vahki avançait sur la mer argentée. Devant se trouvait la Grande barrière, une falaise si haute qu'elle disparaissait dans le ciel et si large qu'elle englobait l'horizon au complet.

Vakama ne se souciait pas de la barrière. Une autre vision submergeait son esprit…

Une lumière éblouissante. Puis la noirceur, du genre de celle qui enveloppait maintenant tout Metru Nui. Il jeta un regard tout autour, hésitant, se demandant comment il pourrait bien s'échapper. Puis un filet de lumière apparut, tel une fissure dans l'obscurité. La lumière l'invitait à avancer, car de l'autre côté se trouvait un lieu sûr…

Vakama ouvrit subitement les yeux. Il ne savait pas

vraiment ce que signifiait la vision, du moins pas encore, mais il était certain que c'était un signe d'espoir. Le même instinct l'avertit que le Masque du pouvoir sur lequel il travaillait jouerait un rôle dans tout cela. Il se remit donc à sa tâche.

Matau le regardait d'un air désapprobateur. Même en période de crise, Vakama jouait au fabricant de masque.

— Il est temps pour toi de reconnaître que tu es maintenant un Toa, déclara Matau.

— Temps? C'est ça! fit Vakama. Plus de temps! C'est ce que le faux Turaga voulait!

Il se mit à travailler avec encore plus d'ardeur. Le masque était presque terminé, et s'il ne se trompait pas quant à son pouvoir...

Les pensées de Vakama furent interrompues par une secousse violente. Mais celle-ci n'avait pas été causée par le tonnerre dans le sol. Elle avait été provoquée par une forme ailée qui s'était posée abruptement sur un rocher de la Grande barrière.

Les Toa la fixèrent avec un étonnement mêlé de crainte et de terreur. Il s'agissait clairement de Makuta, mais pas du Makuta qu'ils avaient toujours connu. Celui qui se tenait maintenant devant eux était un colosse revêtu d'une armure sombre, doté des ailes puissantes de Nivawk et irradiant le pouvoir de la noirceur. Pire, les Toa Metru constatèrent que la forme portait les outils de Nidhiki et Krekka.

Pas étonnant que les Chasseurs de l'ombre aient interrompu leur poursuite, se dit Nuju, l'air lugubre.

Makuta regardait les Toa du haut de son perchoir. Sa voix s'éleva au-dessus du bruit des vagues et du hurlement du vent.

— C'est ici que votre voyage prend fin! gronda-t-il.

— Par la volonté du Grand esprit, il vient à peine de commencer! rugit Vakama.

— Alors, il vous faudra conquérir la véritable mer de protodermis! lança Makuta.

D'un geste du bras, il fit surgir de la mer d'énormes piliers de protodermis cristallin, formant une dangereuse course à obstacles. Matau dut faire de grands efforts pour les contourner, mais le véhicule Vahki n'était pas conçu pour des manœuvres compliquées en mer.

Vakama fit un signe du doigt vers l'avant. Un filet de lumière brillait par une crevasse étroite dans la Grande barrière, lui rappelant l'image qui lui était apparue dans sa vision.

— Dirige-toi vers la lumière, Matau, ordonna-t-il. L'avenir repose entre tes mains.

Puis il se tourna vers le Toa de la glace.

— Rapproche-moi le plus possible de lui, fit-il en montrant Makuta.

Le Toa de la glace hocha la tête tandis que son masque se mettait à briller. Son pouvoir de télékinésie souleva Vakama dans les airs et le projeta en direction du rocher où Makuta attendait.

Pendant ce temps, les Toa continuaient leur lutte sur la mer. Onewa sauta de l'embarcation pour pulvériser l'un des piliers avec ses proto-pitons. Mais aussitôt, deux autres surgirent droit devant, si proches l'un de l'autre que leurs pics étaient reliés. Il était évident que le véhicule allait s'écraser contre eux.

— Nous devons tourner-virer rapidement! dit Matau.

Nokama lança sa lame hydro et la planta dans le flanc d'un des piliers. Puis elle s'y cramponna de toutes ses forces tandis que Matau faisait virer brusquement le véhicule, évitant de justesse la barrière qui se dressait devant eux. Mais ils n'avaient pas gagné pour autant... un autre pilier surgit brusquement, heurtant le véhicule et projetant les sphères argentées dans la mer.

Nokama les aperçut, flottant vers une destruction certaine.

— Les Matoran!

La vue des sphères dans le protodermis brisa la concentration de Nuju, du moins juste assez pour faire plonger Vakama dans la mer. Mais le Toa du feu n'était pas disposé à abandonner. Il se traîna hors de l'eau et escalada la falaise jusqu'à Makuta.

Lorsqu'il l'eut rejoint, les deux adversaires se mirent à tourner l'un autour de l'autre, avec méfiance. Puis Vakama mit la main dans son sac et en sortit le Masque du pouvoir qu'il avait confectionné avec les Grands disques Kanoka.

— Le Masque du temps, souffla Makuta.

Le maître des ténèbres sourit.

— Tu es un grand fabricant de masques, Vakama. Tu pourrais connaître de nombreuses destinées.

Vakama hésita un instant. Percevant son doute, Makuta s'approcha.

— Le feu et l'ombre forment une combinaison puissante. Viens te joindre à mes frères et à moi, Vakama.

Le Toa du feu sourit à son tour.

— Je ne désire qu'un unique destin, un destin noble, répondit-il en plaçant le Masque du temps sur son propre masque Kanohi. Plus que tout pouvoir que tu pourrais jamais m'offrir.

— Alors, accepte ton sort! gronda Makuta.

Rassemblant ses pouvoirs, il projeta de sa poitrine un jet d'énergie noire, semblable à un serpent, qu'il dirigea vers Vakama.

Aussitôt, le Masque du temps s'illumina. Une vague de force temporelle en surgit et alla frapper Makuta. Les mouvements du maître des ténèbres ralentirent, tout comme son jet d'énergie, qui était maintenant suspendu, presque immobile, dans les airs.

Libérée du contrôle de Makuta, la mer se calma. Loin en bas, les cinq Toa s'empressèrent de récupérer les sphères abritant les Matoran. Personne ne s'aperçut que Turaga Lhikan avait disparu.

Même si Vakama portait le Masque du temps, il ne le contrôlait pas encore à la perfection. Il était incapable d'empêcher la vague temporelle, celle-là même qui avait ralenti Makuta, d'agir sur lui-même. Il pouvait sentir son esprit et son corps qui ralentissaient... et maintenant, il ne pouvait plus éviter le tentacule d'énergie noire se dirigeant vers lui.

Soudain, il y eut un mouvement tout près. Turaga Lhikan accourait vers eux. Il plongea dans la vague temporelle juste devant le jet d'énergie noire de Makuta. Le jet le frappa de plein fouet, fracassant la protection créée par son propre masque. La noirceur s'empara de lui et il perdit toute couleur. Le jet d'énergie, ainsi perturbé, perdit de son pouvoir, et le Masque du temps de Vakama fut projeté dans la mer.

Vakama s'agenouilla près du Turaga mourant.

— Ce coup m'était destiné, souffla-t-il

— Non, répondit Lhikan d'une voix faible.

Il fit un geste en direction de la Grande barrière.

— Mon voyage s'arrête ici... mais le tien ne fait que commencer et se déroulera au-delà de la barrière.

Vakama luttait contre le chagrin qui menaçait de l'envahir. Il se pencha plus près pour entendre les mots que prononçait Turaga Lhikan.

— Fais confiance à tes visions, murmura le Turaga. Je suis fier... d'avoir pu t'appeler mon frère... Toa Vakama.

Les yeux de Lhikan s'assombrirent et la lumière de son cœur cessa de clignoter. Affligé, Vakama retira le masque du Turaga, au moment où l'ombre de Makuta le couvrait une fois de plus.

— Imbécile! lança Makuta. Sans le Masque du temps, il faudra une vie entière pour accomplir ce qu'exige notre destinée. Mais ta vie à toi sera très courte.

Makuta projeta un autre tentacule d'énergie noire vers Vakama, forçant le Toa à se chercher un abri. Tout à coup, son masque se mit à briller et, aussitôt, son corps disparut. Il était devenu invisible!

Makuta tira encore plusieurs fois au hasard, mais rata complètement le Toa. Vakama lança une pierre, incitant Makuta à tirer vers l'endroit où la pierre avait atterri. Le maître des ténèbres visa ensuite le point d'où la pierre était venue, son énergie sombre forçant Vakama à se précipiter dans une cavité.

Le Toa du feu retira son lanceur de disques et le projeta avec force dans une crevasse de la falaise. Aussitôt qu'il fut séparé de Vakama, le lanceur redevint visible. Makuta sourit et projeta un tentacule d'énergie noire pour attraper l'outil.

— Tu ne peux pas te cacher, Toa! lança Makuta.

— Ce n'est plus nécessaire, rétorqua Vakama.

L'ombre s'enroula autour du lanceur et tenta d'attirer l'outil à elle, mais Vakama l'avait enfoncé trop profondément dans la crevasse. Makuta se rendit compte qu'il luttait maintenant contre la puissance de la Grande barrière elle-même. Au lieu de tirer le lanceur vers lui, il était peu à peu entraîné vers la Barrière.

Vakama redevint visible au moment où Makuta s'écrasait contre la falaise. Étourdi, il lança quand même d'un ton de défi :

— Toa Lhikan n'a pas réussi à me vaincre seul, comment le pourrais-tu?

— Parce qu'il n'est pas seul!

La voix était celle de Nokama. Les six Toa étaient de nouveau réunis.

Tous, ils soulevèrent leurs outils, Vakama remplaçant son lanceur de disques par son sceptre de feu. Les six éléments se combinèrent pour former un rayon de pure énergie blanche que les Toa projetèrent sur Makuta, lui enlevant son pouvoir des ténèbres. Une enveloppe de protodermis se forma autour du maître des ténèbres, l'emprisonnant à l'intérieur. Dans une dernière explosion de puissance, le rayon marqua sa prison du signe des Toa.

Les six Toa se séparèrent et le puissant rayon s'éteignit. Vakama baissa les yeux vers le masque de Lhikan et y vit le reflet d'une étoile qui filait.

— Regardez dans le ciel! s'écria-t-il.

Les Toa Metru levèrent les yeux vers le firmament. L'étoile de l'esprit de Lhikan filait dans le ciel assombri. Tandis qu'ils l'observaient, elle explosa pour former six nouvelles étoiles.

— Six étoiles de l'esprit… dit Vakama.

— Le Grand esprit l'a proclamé! s'écria Nuju. Nous sommes des Toa!

Les six héros levèrent les poings au ciel et les frappèrent les uns contre les autres. Leurs épreuves étaient loin d'être terminées, mais désormais, ils allaient y faire face à titre de héros de Metru Nui.

Vakama regarda en contrebas et vit que les six sphères avaient été repêchées et rattachées au véhicule.

— Nous reviendrons très bientôt pour les autres Matoran, déclara-t-il. Mais voyons d'abord à mener en sécurité ceux que nous avons sauvés.

Il s'écoulerait encore beaucoup de temps avant que les Toa Metru mettent le pied, pour la première fois, sur l'île qui se trouvait loin, au-delà de la Grande barrière. Et il s'écoulerait encore plus de temps avant qu'ils y reviennent avec tous les autres Matoran qu'ils auraient pu sauver de Metru Nui. Les Toa allaient devoir livrer de nombreux combats, se faire de nouveaux alliés et affronter de nouveaux ennemis puissants. Mais ils tireraient de tout cela des leçons d'héroïsme et de sacrifice qu'ils n'oublieraient jamais.

Après tout ce temps, ils se trouvaient enfin sur la plage. Des centaines de sphères argentées jonchaient le sable. Les Matoran à l'intérieur dormaient toujours.

— Toa Lhikan a sacrifié son pouvoir pour nous, déclara Vakama. Maintenant, nous devons faire de même pour eux.

Vakama plaça sa main sur une des sphères. Son masque se mit à briller avec éclat.

— Puisse le cœur de Metru Nui vivre à jamais, dit-il d'un ton solennel.

Le pouvoir rayonna de lui et des autres Toa, enveloppant les sphères d'une énergie pure. Un par un, les Matoran ouvrirent les yeux. La lumière de leur cœur se remit à clignoter. Le sacrifice des Toa les avait ramenés à la vie.

Les héros se regardèrent les uns les autres. Ils n'étaient plus Toa. Comme ils avaient sacrifié leur pouvoir pour sauver les autres, ils étaient devenus six Turaga. Heureux et fiers, ils regardèrent les sphères s'ouvrir et les Matoran en sortir.

— Nous sommes ici sur l'île de Mata Nui, baptisée en l'honneur du Grand esprit, proclama Vakama.

Les Matoran promenèrent leur regard sur la plage, l'océan, les arbres. Tout était tellement nouveau pour eux. Un Matoran, Takua, courut vers Vakama et attira son attention sur un de ses compagnons. Il s'agissait d'un Ta-Matoran nommé Jaller, dont le masque avait été gravement endommagé pendant le transport dans le véhicule.

Vakama regarda le masque de Turaga Lhikan qu'il

tenait à la main. Souriant, il enleva le masque Kanohi endommagé de Jaller et le remplaça par celui de Lhikan. Ragaillardi, Jaller se leva et alla rejoindre ses amis. Une Ga-Matoran appelé Hahli se précipita pour l'étreindre et l'accueillir dans la nouvelle terre des Matoran : l'île de Mata Nui.

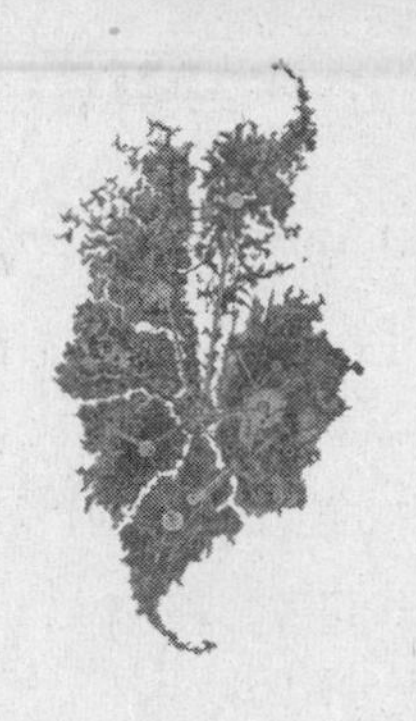

ÉPILOGUE

— Ainsi fut-il tel qu'il est, dit Turaga Vakama.

Les Turaga, les Matoran et les Toa Nuva qui s'étaient réunis le regardèrent placer une fois de plus la pierre représentant le Grand esprit au centre du cercle de sable.

— Un Matoran devient un Toa, un Toa devient un Turaga et un Turaga devient une légende. Gardez en mémoire les leçons du passé et portez l'espoir vers l'avenir. Unis dans le devoir. Liés dans la destinée. C'est là l'univers des Bionicle!

Ainsi fut-il et ainsi en sera-t-il toujours.